BO JOHNSON

Hebräisches Perfekt und Imperfekt mit vorangehendem w^e

CWK GLEERUP

CWK Gleerup ist das Impressum für wissenschaftliche
Veröffentlichungen des Verlages LiberLäromedel Lund

Gedruckt mit Unterstützung von
HUMANISTISK-SAMHÄLLSVETENSKAPLIGA FORSKNINGSRÅDET

Inhalt

5

Vorwort

Die vorliegende Untersuchung zielt darauf, die beiden Verbformen Perfekt und Imperfekt mit unmittelbar vorangehendem w^e- im alttestamentlichen Hebräisch miteinander zu vergleichen, um ihre Bedeutungen voneinander abzugrenzen. Dabei ist unvermeidlich, dass auch andere Fragen berührt werden, z.B. die Frage nach dem Charakter des Perfekts und des Imperfekts an sich oder das Problem der Herkunft und Funktion der Verbform Imperfekt mit unmittelbar vorangehendem wa-; die Hauptaufgabe aber ist, die Gründe für die Wahl zwischen Perfekt und Imperfekt mit unmittelbar vorangehendem w^e- in den Texten zu verstehen.

Für diese Untersuchung wäre natürlich die Darstellungsweise der neueren Linguistik gut geeignet. Trotzdem bleibe ich hier bei der Ausdrucksweise der herkömmlichen Grammatik, da diese auf dem exegetischen Gebiet am leichtesten verständlich ist. Deswegen habe ich auch die grundlegenden Termini Perfekt und Imperfekt beibehalten. Aus praktischen Gründen werden die Formen zu „Perf" und „Impf" abgekürzt; mit waw zusammen zu „w^ePerf", „w^eImpf" und „waImpf".

Die angeführten hebräischen Wörter werden meistens in einer einfachen Transkription wiedergegeben. Die Abkürzungen der Bibelbücher dürften leicht verstanden werden. Für vollständige Titel der angeführten Werke sei auf das Literaturverzeichnis hingewiesen.

Für Hilfe bei der sprachlichen Ausgestaltung danke ich herzlich Frau Dr. phil. Christiane Boehncke Sjöberg.

Lund, den 18. April 1979

Bo Johnson

I DIE FRAGESTELLUNG

1 Einleitung

Ein Problem unter den vielen, die innerhalb des hebräischen Verbal-systems an den Tag treten, ist die Bedeutung von Perf und Impf mit vorangestelltem *waw*. Das Problem zeigt sich sofort bei der üblichen Wiedergabe des hebräischen Verbums mit und ohne *waw* im Perf und Impf:

Perf		Impf	
katab	„er schrieb"	*jiktob*	„er wird schreiben"
weꜜkatab	„und er wird schreiben"	*weꜜjiktob*	„und er wird schreiben"
		wajjiktob	„und er schrieb"

Es fällt unmittelbar auf, dass das Impf auf diese Weise eine Form über das Perf hinaus erhält; eine Form, die sich durch ihren a-Vokal in der Vorsilbe und durch die Verdoppelung des folgenden Konsonanten von den anderen Verbformen mit vorangestelltem *waw* unterscheidet. Diese Imperfektform steht in auffallender Weise isoliert im System. Es ist ferner bemerkenswert, dass das *waw* anscheinend eine eigentümliche Wirkung auf die folgende Verbform ausübt: wenn dem Verbum ein „und" vorangeht, wechselt die temporale Bedeutung des Verbums. So entspricht hebräisches Impf bei der Übersetzung meistens einem Präsens oder Futur, wenn aber ein *wa-* vorangestellt wird, wird aus der Verbform sofort ein erzählendes Tempus der Vergangenheit. In ähnlicher Weise erhält das Perf, das an sich meistens mit einer Form der Vergangenheit zu übersetzen ist, durch das vorangestellte *we-* in den allermeisten Fällen finale oder futurale Bedeutung. Nur *we-* vor einem Impf hat anscheinend diese verwandelnde Kraft nicht: hier behält das Verbum seine Bedeutung, auch wenn ein „und" vorangestellt wird. Dadurch erhalten *we*Perf und *we*Impf etwa dieselbe Bedeutung, und es stellt sich die Frage, ob diese beiden Verbformen ohne Unterschied verwendet wurden, oder ob es möglich ist, einen Unterschied in der Verwendung der beiden Verbformen zu notieren.

Auch andere Verbformen, wie Imperativ, Infinitiv und Partizip, treten oft mit einem vorangestellten „und" auf, aber diese Fälle müssen hier beiseite gelassen werden. Diese Untersuchung zielt darauf ab, die Perfekt- und Imperfektformen mit vorangestelltem w^e- in den Texten miteinander zu vergleichen, um dadurch, wenn möglich, die sprachlichen Regeln zu beschreiben, nach denen die verschiedenen Formen gewählt werden. Natürlich lässt sich eine derartige Untersuchung nicht durchführen, ohne dass das sogenannte Tempusproblem im Hebräischen berührt wird unter Berücksichtigung der sehr umfassenden Forschung, die auf diesem Gebiet geleistet wurde. Alle Aspekte dieser komplizierten Frage lassen sich jedoch im Rahmen dieser begrenzten Untersuchung nicht behandeln.

2 Zur Forschungsgeschichte

a) Perf und Impf

Das hebräische Tempusproblem hängt eng mit der noch ungelösten Frage zusammen, wie man eigentlich den Unterschied zwischen dem hebräischen Perf und Impf bestimmen soll. Nicht einmal in bezug auf die terminologische Frage ist man zu einer gemeinsamen Lösung gelangt. Seit alters hat man (unter verschiedenen Namen) Perf als Tempus der Vergangenheit und Impf als Tempus der Gegenwart oder der Zukunft aufgefasst. Für beide Formen wurden und werden noch heutzutage neue Namen vorgeschlagen. Die Bezeichnungen „Perfekt" und „Imperfekt" haben auch eine verhältnismässig kurze Geschichte; sie wurden im vorigen Jahrhundert von Ewald in einer arabischen Grammatik eingeführt. Perf bezeichnet nach ihm „rem perfectam eoque certam" und Impf „(rem) nondum perfectam eoque incertam"[1]. Diese der griechisch-lateinischen Grammatik entnommenen Termini könnten irreführen, weil sie in unserem Sprachgebrauch meistens eng an eine Zeitstufe anknüpfen. Sie wurden jedoch von vielen Forschern aufgegriffen. So verwendet sie S.R.Driver nicht um Zeitstufen zu bezeichnen, sondern um im Gegenteil die vollendete bzw. die unvollendete Handlung zu bezeichnen, genau nach der wörtlichen Bedeutung der beiden Namen[2]. Viele Grammatiker beschreiben seither den Unterschied zwischen den beiden Verbformen in den Temini vollendet — unvollendet. So lesen wir bei Gesenius-Kautzsch: „... *Perf.* bezeichnet im Allgemeinen das Abgeschlossene, Vollendete und Vergangene, das Geschehensein und das Gewordene, zugleich aber auch das als vollzogen Vorgestellte, sollte es auch in die Gegenwart hinreichen oder gar in Wirklichkeit noch zukünftig sein. Das *Imperf.* bezeichnet dagegen das Eintretende, noch unvollendete und Andauernde, das eben Geschehende, das im Werden begriffene und daher das noch Zukünftige, aber ebenso auch das wiederholt oder in zu-

---

[1] Ewald (1831) 112f.
[2] S.R.Driver (1881) 1, N.1. Zur Forschungsgeschichte hier und im Folgenden siehe ferner z.B. A.O.Schulz (1900), Christian (1927), Brockelmann (1951), Aartun (1963), Rabin (1970), Kustár (1972), Bobzin (1974), Fleisch (1975) und die komprimierten und inhaltsreichen Übersichten bei Gross (1976 und 1977).

sammenhängender Folge Geschehende in der Vergangenheit ..."[3]. Eine ähnliche Auffassung wird von Cohen folgendermassen ausgedrückt: „Le parfait (ou l'imparfait en rôle de parfait) est un accompli non strictement situé dans le temps; il est généralement passé, soit comme temps momentané soit comme résultatif; il peut toutefois servir pour le futur antérieur et pour le futur prophétique; certaines catégories seulement du lexique l'admettent comme présent, et comme futur en dehors des prophéties. L'imparfait (ou le parfait en rôle d'imparfait) est un inaccompli indifférent au temps et peut servir de passé duratif, de présent ou de futur[4]." Zusammenfassend heisst es in der Schulgrammatik von Hollenberg-Budde: „(Perf) bezeichnet nur die Handlung als vollendet, fertig, abgeschlossen ... (Impf) als unvollendet, dauernd, werdend[5]."

S.R.Driver wollte den Ursprung des Perfekts in den substantivischen und adjektivischen Formen sehen, die der Handlung eine statische Realität geben und sie etwa in den europäischen Perfektkategorien darstellen. Das Impf liegt ihm zufolge später in der sprachlichen Entwicklung. Hier werden die Personen schon in der Vorsilbe gekennzeichnet, wodurch die Aktivität der handelnden Person unterstrichen wird. Die Handlung wird nicht als ein ruhendes Faktum, sondern als eine durch die im Substantiv vorhandene Energie wirkende Tätigkeit dargestellt. Das Impf bezeichnet eine Handlung als „nascent", d.h. an sich unvollendet, während durch das Perf eine an sich geschlossene, vollendete Handlung dargestellt wird. Wenn wir übersetzen, müssen wir mit Rücksicht auf den Kontext die richtige Zeitstufe in unseren modernen Sprachen wählen[6].

Wollte S.R.Driver im Perf die älteste Form sehen, sind andere Forscher zu einem anderen Ergebnis gelangt und betrachten das Impf als ursprünglicher[7]. Auch die Auffassung von Perf und Impf als vollendete bzw. unvollendete Handlung hat Widerspruch erweckt, z.B. von Burney[8], der vom Akkadischen ausgehend Einwände gegen S.R.Driver erhoben hat. Die Abhängigkeit des Hebräischen von anderen verwandten Sprachen betont ferner G.R.Driver (der Sohn von S.R.Driver). Wie das Volk, so sei auch die hebräische Sprache von anderen Sprachen wie Akkadisch, Aramäisch und Urhebräisch abhängig. „Consequently, all attempts to

---

[3] Gesenius-Kautzsch (1909) 132 N.1.
[4] Cohen (1924) 286.
[5] Hollenberg-Budde (1957) 27. Vgl. auch Birkeland (1950) 107ff., Davidson (1954) und die Darstellung der „Aspekt-Theorie" bei Schneider (1974) 206f. mit weiteren Literaturhinweisen.
[6] Die Gedanken von S.R.Driver wurden hier nach Kustár (1972) 8ff. zusammengefasst.
[7] So kürzlich Siedl (1971). Vgl. auch Meyer (1960).
[8] Burney (1918—19).

explain (the Hebrew syntax) as a uniform system must be abandoned in favor of one based on the recognition of its historical development[9]."

Pedersen legt, im Anschluss an die Linie von S.R.Driver, den Schwerpunkt auf den Charakter der Handlung als vollendet oder unvollendet. Nach ihm wird das Perf von Handlungen gebraucht, die als ein selbständiges, an sich abgeschlossenes Ganzes gekennzeichnet werden können, das Impf dagegen von Handlungen, die einen unvollständigen Charakter tragen oder im Vergleich zu anderen als ausfüllend, vorbereitend oder fortsetzend bezeichnet werden können[10]. Engnell weist auf Pedersen hin und lobt ihn für seinen Gebrauch vom „psychologischen Aspekt" als dem Grundlegenden. Engnell will als eine Weiterentwicklung davon das Perf als die Form mit der „höheren Dignität" bezeichnen und findet als Gesamtbezeichnung den Namen „perfectum emphaticum" passend. Das Impf habe im Vergleich dazu eine schwächere Dignität. Es drücke das aus, was möglich oder unsicher ist, was allgemein oder ausfüllend, vorbereitend oder weiterführend ist, es habe m.a.W. einen spezifischen Charakter als eine die Umstände beschreibende Form und sei seiner Natur nach modal[11].

Im Gegensatz zu den jetzt erwähnten Forschern verwendet Nyberg auch den Tempusbegriff in eigentlicherem Sinn, betont dabei aber den besonderen Charakter dieses Begriffes. Ihm zufolge drücken Perf indikativ und Impf indikativ an sich keine Zeit aus, sondern das Verhältnis der Handlung bzw. der Eigenschaft oder des Zustandes zu einer bestimmten Situation oder Person. Die Zeit, innerhalb welcher sie liegen, ist deswegen abhängig vom Standpunkt des Erzählenden gegenüber dem, was er schildert, oder von der Situation, in die sie gehören. Perf indikativ von Handlungsverben bezeichnet die Handlung an sich, als ein abgerundetes Ganzes, ausserhalb der momentanen Situation oder der vorhandenen Lage, den Gefühlen u.dgl. des Sprechenden stehend: die Handlung wird von aussen her gesehen. Perf indikativ ist der unabhängige Handlungsausdruck, es konstatiert. Perf indikativ von Eigenschafts- und Zustandsverben ist einem einfachen Nominalsatz mit adjektivischem Prädikat und pronominalem Subjekt gleichwertig. Es ist wie dieser zeitlos und bezeichnet die Eigenschaft oder den Zustand an sich. Impf indikativ bezeichnet die Handlung, die Eigenschaft oder den Zustand im Verhältnis zu etwas anderem, zu einer Situation, einem Milieu, einer anderen Aussage, den zufälligen Standpunkt des Sprechenden u.ä.: die Handlung wird von innen her gesehen, von einem bestimmten Gesichtspunkt. Impf in-

[9] G.R.Driver (1936) 124.
[10] Pedersen (1933) 216.
[11] Engnell (1960) 153ff.

dikativ ist der abhängige Handlungsausdruck, es beleuchtet und veranschaulicht, es schildert, drückt eine Erwartung aus, dass etwas geschehen wird u.dgl.[12].

In einer Untersuchung von Michel wird das Problem von einem neuen Gesichtspunkt aus angegangen. Die Prosatexte waren bisher der natürliche Ausgangspunkt für Untersuchungen der hebräischen Tempusformen. Michel will die hebräische Poesie ohne vorgefasste Meinung untersuchen. Nur eine notwendige Bedingung wird vorausgesetzt: wenn verschiedene Formen vorliegen, sei anzunehmen, dass sie verschiedene Dinge ausdrücken sollen. Das Ergebnis der Untersuchung von Michel ist, dass die durch das Perf bezeichneten Handlungen im Hinblick auf die handelnde Person „akzidentiellen" Charakter haben und die durch das Impf bezeichneten Handlungen im Hinblick auf das handelnde Subjekt „substantiellen" Charakter[13]. Er fasst zusammen: „Das perfektum wird zur Wiedergabe einer Handlung gewählt, wenn diese als selbstgewichtig, als absolut angesehen wird. Das imperfectum wird zur Wiedergabe einer Handlung gewählt, wenn diese ihre Bedeutung von etwas ausserhalb der Handlung selbst liegendem bekommt, also relativ ist[14]."

Als Begriffspaare in der Diskussion treten auch Fiens — Stativ[15] und das dem Akkadischen entnommene ḫamṭu — marû[16] auf. Diese Namen, die eigentlich „schnell" bzw. „fett" bedeuten, gehen ursprünglich auf das Sumerische zurück. Die Fomen werden auch hebräisch ḫameṭ und mare᾽ geschrieben. Es ist aber zu bemerken, dass diese beiden Formen nicht unmittelbar als parallele Erscheinungen zum hebräischen Perf und Impf aufgefasst werden können.

In die neuere Diskussion wurde, vor allem durch die Arbeiten von Rundgren[17], ein Aspektbegriff unter Berücksichtigung dieser Erscheinung in den slawischen Sprachen eingeführt. Durch den Aspekt wird die Handlung als vollendet oder unvollendet bezeichnet; die Verben sind in dieser Hinsicht perfektiva oder imperfektiva. Innerhalb dieser Aspekte sind ferner verschiedene Aktionsarten zu bemerken: die imperfektiven Verben können z.B. im Polnischen eine durative oder eine iterative Handlung bezeichnen; die perfektiven Verben eine abgeschlossene (definitive) Handlung, eine einmalige (semelfaktive) Handlung, eine punktuelle oder

[12] Nyberg (1952) 263f.
[13] Michel (1960) 110.
[14] Michel (1960) 254.
[15] Siehe z.B. Rundgren (1959) 126, (1961) 71f., 109f., (1963) 110ff. und Meyer (1964).
[16] Näheres bei Rössler (1962), Siedl (1971) und besonders Edzard (1970—76) und Bobzin (1974).
[17] Rundgren (1959, 1960, 1961, 1963). Siehe auch Meyer (1964) und Schneider (1974) 206f.

momentane Handlung und schliesslich eine eintretende (ingressive) Handlung[18].

Im Anschluss an die slawischen Sprachen kann man also mit drei verschiedenen Begriffen arbeiten:
1) Tempus (Zeitformen in unserem üblichen Sinn)
2) Aspekt (vollendet — unvollendet)
3) Aktion (iterativ, durativ, momentan usw.)

Von diesen Begriffen ausgehend unterscheidet Kustár zwischen Tempus, welches „das durch ein Verb zum Ausdruck gebrachte Zeitverhältnis" bezeichnet; Aspekt, der „die Art der Beobachtung einer Handlung" bezeichnet, und Aktio, unter welcher „die Art der Handlung und ihre Änderung im Vollzug des Geschehens" verstanden wird[19]. Kustár betont die Wichtigkeit, zwischen Aspekt und Aktion zu unterscheiden. Wenn z.B. in den slawischen Sprachen eine perfektive Form mit Hilfe eines besonderen Präfixes gebildet werde, übersehe man leicht, dass dieses Präfix sowohl eine aspektuelle (grammatische) wie eine aktionelle (lexikalische) Funktion habe[20]. Kustár konfrontiert dann Tempus, Aspekt und Aktion in verschiedenen Sprachgebieten miteinander und findet, dass das Verbalsystem in den westeuropäischen Sprachen auf Tempus und Aktion gegründet ist, in den slawischen Sprachen auf Aspekt und Tempus und im Hebräischen auf Aspekt und Aktion[21].

Es bereitet aber Schwierigkeiten, dieses Schema in den hebräischen Texten vollständig zu belegen. Kustár fügt auch hinzu, dass die bisherigen Definitionen bezüglich der Tempus- Aktio- und Aspektkategorien und ihrer Beziehungen zueinander noch sehr ungenau seien. Die fehlenden Kategorien (Aspekt in den westeuropäischen Sprachen, Aktion in den slawischen und Tempus im Hebräischen) lassen sich auch in den verschiedenen Sprachen einigermassen lexikalisch oder syntaktisch ausdrücken[22]. Die Konklusion von Kustár bleibt jedoch, dass die qtl- und jqtl-Formen (Kustár zieht diese Bezeichnungen Perf und Impf vor) Aspektkategorien seien, durch welche der Sprechende „das Verhältnis der Handlungen zueinander unmittelbar betrachtet, unabhängig von seinem eigenen zeitlichen Standpunkt, vom räumlich-zeitlichen Stand-

---

[18] Gunnarsson—Trypućko (1946) 78.
[19] Kustár (1972) 19ff.
[20] Kustár (1972) 23. Vgl. dagegen Aartun (1963) 115 N.3: „Wir verwenden hier, in Übereinstimmung mit dem gewöhnlichen Sprachgebrauch, Aspekt und Aktionsart als synonyme Ausdrücke."
[21] Kustár (1972) 25.
[22] Zur Diskussion auf diesem Gebiet vgl. Brockelmann (1951) 134ff., Segert (1965), Mettinger (1973), Schneider (1974) 206f. und die eingehende Behandlung dieser Problematik in den Arbeiten von Rundgren.

punkt des Täters und vom lexikalischen Bedeutungsinhalt des Verbs ... Durch den Gebrauch der qṭl- und jqṭl-Aspektkategorien unterscheidet der Sprechende die Handlungen danach, welche im unmittelbaren Verhältnis der Handlungen zueinander als determinierend und welche als determiniert zu betrachten sind, d.h. welche Handlungen als Ausgangspunkt, Grund, determinierendes Moment, Zweck, Ergebnis oder Schlusspunkt der anderen Handlungen zu betrachten sind und welches die Handlungen sind, auf deren Grund, Zweck oder determinierendes Moment der Sprechende hinweisen will. Die determinierenden Handlungen werden durch qṭl-Formen, die determinierten Handlungen durch jqṭl-Formen bezeichnet. Es hängt ausschliesslich vor der Betrachtung und dem Urteil des Sprechenden ab, welche Handlungen er als determinierend und welche er als determiniert betrachtet[23]."

Die Introduktion der beiden Begriffe Aspekt und Aktion hat aber nicht den Tempusbegriff in der hebräischen Grammatik abgeschafft. Viele Forscher arbeiten mit etwas, was Rabin „a considerable time-tense component" nennt[24] Die Aspekttheorie wird ferner von Hughes abgelehnt, da er meint, der Aoristbegriff sei als Erklärung ausreichend. Nach ihm hat das Performativ yaqtul „action" bezeichnet und das Afformativ qatil „state". Beide Formen waren wahrscheinlich zeitlos oder allzeitig. Das protosemitische yaqtul könnte „active aorist" und das qatil „stative aorist" genannt werden[25].

Unter den neueren Arbeiten sei auch besonders auf die grammatikalischen Arbeiten von Meyer[26] und Schneider[27] hingewiesen. Schneider hat den hebräischen Sprachgebrauch in modernen linguistischen Strukturen beschrieben. Er macht eine Hauptdistinktion zwischen erzählenden Texten, wo die Prädikate im Narrativ (= waImpf) stehen und das Perf Nebentempus ist, und besprechenden Texten, wo Impf Haupttempus und Perf Nebentempus ist[28].

Wie aus den eben angeführten Beispielen hervorgeht, hat man viele Versuche unternommen, den eigentlichen Sinn und Inhalt des hebräischen Perfekts und Imperfekts auszudrücken. Auch wenn die Unterschiede zwischen den verschiedenen Erklärungen zuerst ins Auge fallen,

[23] Kustár (1972) 55.
[24] Rabin (1970) 312. Rabin weist besonders auf Blake (1951) hin und erwähnt auch Burney (1918—19), Christian (1927), Sekine (1940—41, 1963), Brockelmann (1951), Janssens (1957—58), Rundgren (1961) und Meyer (1964). Von den neueren könnten Kuryłowicz (1972, 1973), Silverman (1973) und Blau (1976) hinzugefügt werden.
[25] Hughes (1970) 12ff.
[26] Meyer (1972).
[27] Schneider (1974).
[28] Schneider (1974) 183ff.

ist es wichtig, dass man das Gemeinsame sieht. Vielleicht lässt sich das mit den Worten aus Brockelmanns Arabischer Grammatik ausdrücken: „Die beiden sog. Tempora des Arabischen drücken an sich weder eine von der Gegenwart des Redenden aus bestimmte Zeitstufe, noch den Zustand einer Handlung an sich als vollendet oder unvollendet aus, sondern sie dienen nur dazu, die Handlung einfach zu konstatieren (Perfekt) oder aber in ihrem Verlauf zu schildern (Imperfekt)[29].“

b) w^ePerf und w^eImpf

Vom ersten Anfang der Beschäftigung mit der hebräischen Grammatik an hat man darüber gestaunt, dass Perf und Impf anscheinend ihre Funktion tauschen, wenn ein „und" vor die Verbform tritt. David Kimchi sagt (am Anfang unseres Jahrtausends): „Wenn du hinzufügst das Waw שֵׁרוֹת (d.h. den Servilbuchstaben Waw) zum Perfekt, so bezeichnet es das Futur; bei den Buchstaben איתן (d.h. die Präformativa des Imperf.), wenn du jenes Waw, und zwar mit Vokalisation Pathach, zufügst, bezeichnet es das Perfekt[30].“ Interessant ist, dass schon zu dieser Zeit das Tempusdenken den selbstverständlichen Ausgangspunkt bildet. Die hebräischen Termini wurden später ins Lateinische übersetzt, und man schuf die Beizeichnung „waw conversivum" und „waw conjunctivum", wie bei Sebastian Münster 1554: „quando Vav additur verbis, habet duplicem denominationem, videlicet Vav הפוּךְ id est, conversivum, et Vav חִבּוּר id est conjunctivum. Vocatur hippuch quando nedum est copula, sed et cum pathah mutat tempus futurum in praeteritum, et cum Scheva mutat praeteritum in futurum ...“[31].

Eine wichtige Bemerkung, die schon Kimchi macht, ist, dass er auf die abweichende Vokalisation von *waw* conversivum im Impf zusammen mit der Verdoppelung des folgenden Konsonanten hinweist. Dadurch wird mit Notwendigkeit die Frage aufgeworfen, ob diese Verbform vielleicht einen anderen Ursprung als die anderen Formen haben könne und ob das *waw* am Anfang der Verbform demzufolge ursprünglich keine Kopula sei. Diese Frage, die oft allzu schnell übersehen wird, ist gar nicht neu. Schon vor zweihundert Jahren wurde in der Forschung der Gedanke geäussert, dass dieses *waw* mit seinem a-Vokal und mit der Verdoppelung des folgenden Konsonanten etwas anderes sei als die Kopula w^e-. Man dachte dabei als Ursprung an das fragende *ha-* oder an das Verb *haja* in zusammengezogener Form, etwa wie im Syrischen oder

[29] Brockelmann (1953) 118. Vgl. dazu Aartun (1963) 23f. und Meyer (1972) 39ff.
[30] Zitat nach A.O.Schultz (1900) 8.
[31] Zitat nach A.O.Schulz (1900) 10. Hierzu und zum Folgenden siehe Schulz 9ff. und Gross (1976) 16f. N.5.

im nachbiblischen *hu' haja 'omer*[32]. Gesenius hat auch diesen Gedanken aufgegriffen, ist aber in der 12. Auflage seiner Grammatik wieder davon abgegangen[33]. Ewald hat als Erklärung ein zusammengezogenes *weaz* vorgeschlagen. In neuerer Zeit denkt sich Schramm, dass die Form ursprünglich ein *lamed* enthalten habe: „The form /wayyišmor/ is thus to be analysed historically as < /*walyišmor/, the {-l-} morph being cognate to the {-l-} morphs of Accadian, Arabic and Geez[34]." Michel sieht, sich Köhler anschliessend, in der Form ein demonstratives Präfix *wn, durch das ein Impf konsekutiv enger an das Vorhergehende angeschlossen wird[35]. Auch die ähnliche ägyptische Partikel *iw* wurde als Analogie herangezogen[36] sowie das doppelte „und" im Arabischen, *wa* und *fa*[37]. Das stärkere *fa* wird dabei gern als eine Entsprechung des hebräischen *wa* vor dem Impf aufgefasst. In diesem Zusammenhang wird natürlich vermerkt, dass das hebräische *waw* copulativum auch sonst mit einem a-Vokal auftreten kann, vielleicht um eine besonders enge Verbindung zwischen zwei Wörtern auszudrücken, wie z.B. in *tohu wabohu*.

Vor allem der Vergleich mit dem Akkadischen hat viele Forscher dazu veranlasst, das hebräische *wa*Impf als eine ursprünglich selbständige Verbform aufzufassen mit einer eigenen Vorgeschichte, die vom Impf im übrigen unabhängig sei. Die Frage wird eingehend von G.R.Driver[38] und Rundgren[39] behandelt. Die Verbindung mit dem Akkadischen wird auch von Moscati[40] und Kuryłowicz unterstrichen. Der letztere nimmt an, dass *wa*Impf aus einem protosemitischen *iaqtul, das dort ein Präteritum war, herzuleiten sei[41]. In seinem einleuchtenden Aufsatz über Aspekt und Tempus im althebräischen Verbalsystem sagt Meyer: „Auch präteritales *yaqtul*, obwohl weithin durch *qatala* ersetzt, verschwindet nicht. In der festen Bildung *wayyiqṭol* erhält es sich als „Imperfektum consecutivum" noch bis weit in nachexilische Zeit, während es im Phönikischen anscheinend schon bald nach der Jahrtausendwende ausgestorben ist[42]." Auf denselben Hintergrund verweist Rabin: „... there can be

---

[32] Vgl. Ewald (1827) 539 N.1 und Hetzron (1969) 9f.
[33] Gesenius (1839).
[34] Schramm (1957) 6.
[35] Michel (1960) 47ff.
[36] So Young (1953) und Sheehan (1971). Vgl. dagegen Cazelles (1953).
[37] So z.B. A.O.Schultz (1900), Joüon (1947) und Kustár (1972).
[38] G.R.Driver (1936) 96. Die Ergebnisse werden von ihm in einer Tabelle zusammengefasst.
[39] Siehe z.B. Rundgren (1961) 95ff.
[40] Moscati (1964).
[41] Kuryłowicz (1972) 87.
[42] Meyer (1964) Sp. 125.

18

no doubt nowadays that *wayyiqṭōl*, which in fourteen conjugation types has either shorter forms than *yiqṭōl* or retraction of stress (e.g. *wayyⁱ-bārɛk* as agaist *yⱥbāˈrēk*), was originally quite distinct from *yiqṭōl*, and represents the same type as Akkadian *ikšud* . . ."[43]. Das Akkadische wird von Janssens als sekundär betrachtet: „. . . the tenses had preserved their original functions in W(est-)Sem(itic) and in O(ld) Eg(yptian), whereas the use of the tenses in Akkadian was a deviation from the original use"."

Birkeland bemerkt in diesem Zusammenhang, dass die Schwierigkeiten eigentlich erst dann auftreten, wenn *wa-* als „und" verstanden wird. Es ist aber nicht das Perf, das durch ein Impf konsekutiv ersetzt wird (wie es mit natürlicher Logik in unseren grammatischen Arbeiten oft dargestellt wird), sondern ein Impf konsekutiv musste durch ein Perf ersetzt werden in den Zusammenhängen, wo ein „und" unmöglich war. Solange *wa-* noch nicht als „und" verstanden wurde, war dieser Austausch unnötig[45].

Die ältere Forschung war nicht so geneigt, zwischen der Bedeutung von *wᵉ-* und *wa-* zu unterscheiden. Zum Teil hängt das sicher damit zusammen, dass man auf diese Weise leichter von der Auffassung von zeitgebundenen Verbformen loskommen konnte. So betont z.B. A.O. Schultz, dass das Impf denselben Charakter habe, sowohl alleinstehend als nach *wᵉ-* und *wa-*[46]. Er unterstreicht mit Nachdruck, dass das Perf mit *wᵉ-* und das Impf mit *wa-* nur solche Funktionen haben, die für das Perf und das Impf im allgemeinen charakteristisch sind, und dass die Theorien von einer Verwandlung der Tempusbedeutung unnötig seien[47]. Eine ausführliche Zusammenfassung sowohl der älteren wie der neueren Forschung in dieser Frage gibt Gross[48].

Das *wᵉ*Perf hat verschiedene Bedeutungen, die zum Teil auffallend weit voneinander liegen. In den meisten Fällen ist die Bedeutung final oder konsekutiv („dies wird zur Folge haben dass . . ."), aber die Form kann auch als ein einfaches „und" + Perf stehen, ohne diese spezifische Bedeutung[49]. Dieses besondere Problem wird dadurch noch komplizierter, dass sich der Ton in einigen Perfektformen verschiebt. Artom[50] schlägt

[43] Rabin (1970) 312.
[44] Janssens (1975) 10.
[45] Birkeland (1935) 31ff.
[46] A.O.Schulz (1900) 23ff.
[47] A.O.Schultz (1900) 41.
[48] Gross (1976) 16ff.
[49] Eine ausführliche Diskussion dieser Frage findet sich bei Joüon (1947) 319—337. Siehe auch Nyberg (1952) 81f. 273ff., Artom (1957, 1965), Rabin (1970) mit dort angeführter Literatur, Sheehan (1970), Kuryłowicz (1972) und Bobzin (1973) 147ff.
[50] Artom (1965) 8.

im Anschluss an Blake[51] den Gedanken vor, dass der Ultimation Futur-
bedeutung andeuten könnte, aber die Sache ist nach Rabin „altogether
unexplained"[52]. Ogden, der dem Tempusproblem beim Verb *haja* eine
Sonderuntersuchung gewidmet hat, verweist auf die zwei Funktionen
beim Perf mit *waw*. Qal Perf mit „weak waw" bedeutet, dass zwei Fakten
bezüglich einer Situation in der Vergangenheit zusammengestellt werden.
Qal Perf mit konsekutivem *waw*, was viel üblicher ist, drückt Handlungen oder Ereignisse aus, die aus dem Vorhergehenden kommen. Die
Entwicklung führte dazu, dass *haja* mit vorangestelltem *waw* eine selbständigere Funktion erhielt. Dabei rückte die Möglichkeit einer reinen
Zeitbedeutung noch näher[53]. G.R.Driver wollte die Entsprechung des
hebräischen konsekutiven Perfekts im akkadischen Stativ („paris") finden, aber die Beweiskraft der von ihm angeführten Beispiele wird von
Marcus in Frage gestellt[54].

Die Form *w*eImpf ist weniger häufig als die oben erwähnten. Diese
Form scheint auch auf den ersten Blick weniger interessant zu sein, da
das Impf hier anscheinend seine übliche Bedeutung behält. Kelly hat
*w*eImpf eine Sonderuntersuchung gewidmet, „The Imperfect with single
waw in Hebrew[55]."

---

[51] Blake (1944).
[52] Rabin (1970) 312.
[53] Ogden (1971). Siehe dazu ferner S. 62f. unten.
[54] Marcus (1969).
[55] Kelly (1920). Näheres S. 46 unten.

3 Die masoretische Vokalisation

Von grundlegender Bedeutung für jede Diskussion über Sinn und Meinung der hebräischen Verbformen ist die Frage, in welchem Grad der tradierte Text mit seiner heutigen Vokalisation wirklich die lebendige Sprache in alttestamentlichen Zeiten wiedergibt[56]. So unterscheiden sich z.b. die beiden Formen *w^{e}jiqtol* und *wajjiqtol* voneinander nur durch eine Vokalisation, die ihre endgültige Form erst vor 1000 Jahren erhalten hat. Es lassen sich auch viele Argumente dafür anführen, dass die masoretische Vokalisation nicht ohne weiteres die Aussprache in alttestamentlicher Zeit wiedergebe. Die Aussprache war jedenfalls nicht zu allen Zeiten und an allen Orten gerade diejenige, die von den Masoreten wiedergegeben wird. Das geht z.b. aus den Transkriptionen der Eigennamen in der Septuaginta hervor, wo Sam(p)son und Marjam für die masoretischen Namensformen Šimšon und Mirjam stehen. Es ist auch deutlich, dass Origenes bei seiner Arbeit an dem hexaplarischen Text nicht immer in derselben Weise zwischen *w^e-* und *wa-* unterschied wie später die Masoreten[57]. Auch die etwas abweichende Aussprache der Samaritaner verdient in diesem Zusammenhang Aufmerksamkeit[58] sowie ebenfalls die im Konsonantentext, vor allem in den Qumrantexten, vorliegenden Varianten[59].

Von diesen Bemerkungen ist der Schritt aber sehr weit zu der Annahme, dass die masoretische Vokalisation nichts mit der alttestamentlichen Aussprache zu tun hätte. Das in den alttestamentlichen Texten jetzt vorliegende Verbalsystem kann kaum eine spätere künstliche Konstruktion sein. Das System ist im neueren Hebräisch nicht vorhanden.

---

[56] Zur Diskussion siehe z.b. Kahle (1921), Bergsträsser (1924), Segal (1927), Blake (1951) 39f., Nyberg (1952) 277 280, Rubinstein (1963), Meyer (1964) Sp. 120 und Zislin (1976).

[57] Näheres bei Brockelmann (1951) 147 mit dort angeführter Literatur und Sperber (1966) bes. 192.

[58] Kahle (1956) 146ff.

[59] Vgl. Rubinstein (1953) mit weiteren Literaturangaben und Sperber (1966).

Die Formen sind dort zeitgebunden geworden. Das Perf steht für die vergangene Zeit und das Impf für die Zukunft; das Präsens wird durch Pronomen + Partizip ausgedrückt. Ein „und" vor der Verbform ergibt keinen Unterschied: w*e*katab bedeutet „und er schrieb, und er hat geschrieben". Die mit wa + Impf gebildete Form ist weggefallen. Die Masoreten haben selbst sehr wohl gewusst, dass sie es in den Bibeltexten, die sie tradierten, mit einem anderen Verbalsystem zu tun hatten als mit dem, das ihnen aus der späteren Entwicklung der Sprache bekannt war.

Das Verbalsystem im alttestamentlichen Hebräisch scheint ziemlich einzigartig zu sein unter den semitischen Sprachen, die viele verschiedene Formen aufweisen[60]. Ein Vergleich mit den Sprachen, die dem Hebräischen am nächsten stehen, wird dadurch erschwert, dass die erhaltenen Texte in diesen Sprachen verhältnismässig gering an Zahl sind, aber das was vorhanden ist, weist auf Ähnlichkeiten im Moabitischen und Ugaritischen hin[61]. Die einfachste, ohne Zweifel auch zutreffende Erklärung ist, dass das Verbalsystem, das im masoretischen Text erscheint, wirklich den Sprachgebrauch in alttestamentlicher Zeit wiedergibt. Einzelne regionale oder dialektale Unterschiede waren sicher vorhanden, und eine gewisse Entwicklung in der langen Zeit, die die alttestamentlichen Texte umspannen, ist auch wahrscheinlich. Solche Fragen werden am besten beantwortet durch Untersuchungen wie Kropats „Die Syntax des Autors der Chronik verglichen mit der seiner Quellen"[62]. Es ist ferner unvermeidlich, dass im Laufe der Zeit auch in diesem Bereich Textfehler entstanden sind. So werden z.B. zwei Verbformen, die beide im Kontext einen guten Sinn geben, leicht verwechselt, besonders wenn der Unterschied nur in der Vokalisation besteht. Hier liegt es nahe, an die Möglichkeit einer Verwechslung z.B. zwischen w*e*Perf und w*e* + Infinitivus absolutus zu denken. Diesen Ausweg benutzt Huesman in seiner Untersuchung „The Infinitive Absolute and the Waw Perfect Problem"[63], indem er einige problematische Fälle als Infinitive erklärt. Auf dieselbe Möglichkeit hatten auch Kennett[64] und Nyberg[65] hingewiesen.

Mehrere von den jetzt angeführten Untersuchungen deuten auf eine mehr oder weniger gründliche Schlussredaktion des hebräischen Textes

---

[60] Siehe z.B. Gesenius-Kautzsch (1909) 139 343 und den Überblick bei Bergsträsser (1928) 41.

[61] Siehe z.B. Gesenius-Kautzsch (1909) 139, Burney (1918—19), Birkeland (1950) 107, Huesman (1956) 410 und Rabin (1970).

[62] Kropat (1909). Zur neueren Diskussion ferner Hoftijzer (1974) 9ff.

[63] Huesman (1956).

[64] Kennett (1901) 71.

[65] Nyberg (1952) 277 301.

hin. Dass so etwas in einigem Umfang vorgekommen ist, lässt sich schwer leugnen — ein Blick auf die vorliegenden Paralleltexte zeigt eine gewisse Freiheit der Formulierung gegenüber. Dass eine spätere Zeit bewusst oder unbewusst ihr Sprachgefühl gegenüber den Texten geltend gemacht hat, ist auch natürlich. Eine in dieser Hinsicht interessante Frage ist, in welchem Ausmass diejenigen Texte, die als jünger betrachtet werden, besondere Züge aufweisen, oder ob in allen Texten verschiedene Schichten auftreten. Auch ältere Texte konnten natürlich später korrigiert werden, vgl. Rubinstein[66]. Eine endgültige Antwort auf diese Fragen lässt sich kaum geben. Man kann jedoch sofort sagen, dass die Einwände gegen die Zuverlässigkeit des masoretischen Textes zwar in Einzelfällen von Belang sein können, aber nicht das Verbalsystem als solches in Frage stellen. Auch wenn eine nähere Untersuchung eine gewisse Entwicklung oder ein Redigieren des Textes andeuten könnte, kann doch das Verbalsystem, wie es sich im masoretischen Text, und zwar in seiner vokalisierten Form, erhalten hat, nicht ernstlich in Frage gestellt werden. Es ist also angebracht, bei der Untersuchung vom vorliegenden Text, so wie er aussieht, auszugehen. Die Texte selbst enthalten die entscheidende Antwort auf die Frage nach dem legitimen hebräischen Sprachgebrauch. Im textkritischen Apparat sollte ein „lege" nicht zu schnell herangezogen werden, wenn der Text mit unseren üblichen Erklärungsmodellen nicht übereinstimmt. Die Biblia Hebraica Stuttgartensia ziegt hier eine nüchterne Vorsicht im Vergleich zu ihrer Vorgängerin, der Biblia Hebraica. Als allgemeine Regel dürfte gelten, dass die Erklärung vorzuziehen ist, die am besten zum alttestamentlichen Sprachgebrauch im Übrigen passt, so wie die Sprache von den Masoreten verstanden wurde, und die auch möglichst wenige Stellen als Verschreibungen erklären muss.

[66] Rubinstein (1963).

4 Statistische Beobachtungen

Um das Vorkommen der betreffenden Formen genau zu erkennen, wurden die alttestamentlichen Texte (mit Ausnahme der aramäischen Teile bei Esra und Daniel) durchgelesen und alle Fälle von Perf und Impf mit unmittelbar vorangehendem *waw* notiert; bei *wa*Impf nur die Anzahl. Das Ergebnis war (mit Vorbehalt wegen Fehlrechnung):

*we*Perf	6 326
*we*Impf	1 340
*wa*Impf	14 922
Insgesamt	22 588

Für weitere statistische Angaben sei auch auf den zweiten Band von Jenni—Westermann, Theologisches Handwörterbuch zum Alten Testament hingewiesen[67]. Kelly hat in seiner Untersuchung über *we*Impf 1287 Fälle davon notiert[68].

Aus der folgenden Übersicht geht hervor, wie sich die Belege auf verschiedene Bücher verteilen. Auch die Belege pro Seite wurden gezählt, um den Vergleich zu erleichtern. (Dabei wurde mit Rücksicht auf die poetischen Stücke eine Textausgabe mit zusammenhängendem Druck verwendet.) Bei den kürzeren Bibelbüchern wurden die Vergleichzahlen eingeklammert, um die besondere Unsicherheit beim Vergleich hier zu unterstreichen.

	Insgesamt			Belege pro Seite			Summe
	*we*Perf	*we*Impf	*wa*Impf	*we*Perf	*we*Impf	*wa*Impf	
Genesis	213	109	2109	2,5	1,3	24,2	28,0
Exodus	566	62	872	7,9	0,9	12,1	20,9
Leviticus	713	5	189	14,0	0,1	3,7	17,8
Numeri	423	36	745	5,9	0,5	10,3	16,7

[67] Jenni—Westermann (1976) Statistischer Anhang, bes. 539f.
[68] Kelly (1920) 1.

	Insgesamt			Belege pro Seite			Summe
	*we*Perf	*we*Impf	*wa*Impf	*we*Perf	*we*Impf	*wa*Impf	
Deuteronomium	626	44	251	9,9	0,7	4,0	14,6
Josua	178	10	591	3,9	0,2	13,0	17,1
Richter	98	35	1140	2,3	0,8	26,5	29,6
1. Samuel	208	58	1316	3,6	1,0	23,1	27,7
2. Samuel	106	40	1056	2,2	0,8	22,2	25,2
1. Könige	183	37	1039	3,2	0,6	18,2	22,0
2. Könige	114	45	1210	2,1	0,8	22,4	25,3
Jesaja 1—39	367	54	159	8,3	1,2	3,6	13,1
Jesaja 40—66	129	91	82	4,1	2,9	2,6	9,6
Jeremia	554	85	486	5,8	0,9	5,1	11,8
Hesekiel	824	20	515	9,9	0,2	6,2	16,3
Hosea	69	30	41	6,6	2,9	3,9	13,4
Joel	28	3	7	(7,0)	(0,8)	(1,8)	(9,6)
Amos	96	7	26	10,7	0,8	2,9	14,4
Obadja	15	1	—	(15,0)	(1,0)	—	(16,0)
Jona	2	7	81	(0,7)	(2,3)	(27,0)	(30,0)
Micha	57	15	5	8,8	2,3	0,8	11,9
Nahum	16	—	1	(6,4)	—	(0,4)	(6,8)
Habakuk	6	9	14	(2,0)	(3,0)	(4,7)	(9,7)
Zephanja	25	3	2	(7,1)	(0,9)	(0,6)	(8,6)
Haggai	14	2	16	(5,6)	(0,8)	(6,4)	(12,8)
Sacharja	145	10	116	10,4	0,7	8,3	19,4
Maleachi	44	5	8	(11,0)	(1,3)	(2,0)	(14,3)
Der Psalter	70	220	333	0,8	2,4	3,6	6,8
Hiob	58	112	261	1,6	3,1	7,2	11,9
Sprüche	45	32	31	1,5	1,0	1,0	3,5
Ruth	23	5	137	(4,2)	(0,9)	(25,0)	(30,1)
Hoheslied	4	6	2	(0,7)	(1,0)	(0,3)	(2,0)
Prediger	49	14	3	3,8	1,1	0,2	5,1
Klagelieder	4	11	27	(0,6)	(1,6)	(3,9)	(6,1)
Esther	12	11	157	0,9	0,8	11,2	12,9
Daniel (hebr.)	88	38	97	8,4	3,6	9,2	21,2
Esra (hebr.)	9	2	86	0,7	0,2	6,6	7,5
Nehemia	24	18	263	1,0	0,8	11,0	12,8
1. Chronik	36	13	468	0,7	0,3	9,6	10,6
2. Chronik	85	35	980	1,4	0,6	16,3	18,3

Bei einer Tabelle wie dieser muss man erstens darauf Acht geben, dass jedes Buch als eine Einheit hervortritt. Die Unterschiede in den einzelnen Büchern, z.B. zwischen verschiedenen Quellenschriften, kommen nicht zum Ausdruck, ebenso wenig redaktionelle Umgestaltungen u.dgl. Hier müssen wir uns mit dem Endprodukt begnügen. Die Tabelle gibt jedoch Anlass zu gewissen Schlussfolgerungen, vor allem wenn es darum geht, die Bücher besonderen Gruppen zuzuweisen, um dadurch einen Ausgangspunkt für weitere Beobachtungen zu finden.

*wa*Impf ist die erzählende Form, und es ist also kaum erstaunlich, dass diese Form eine hohe Zahl aufweist in erzählenden Büchern wie Jona, Richter, Ruth, Genesis sowie auch in den Samuel- und Königsbüchern und eine niedrigere Zahl in den poetischen und den prophetischen Büchern. (Kürzere Bücher wie Ruth und Jona müssen natürlich bei einem derartigen Vergleich mit besonderem Vorbehalt betrachtet werden.) Auch andere erzählende Bücher zeigen hohe Zahlen, aber eine gewisse Abnahme macht sich in den Büchern bemerkbar, die gewöhnlich später datiert werden. Eine Sonderstellung nimmt der Prediger ein. Trotz erzählendem Stil liefert dieses Buch äusserst wenig Belege. Im grossen ganzen ist es aber deutlich, dass *wa*Impf durch die ganze alttestamentliche Literatur hindurch als erzählendes Tempus eine entscheidende Rolle spielt.

*we*Perf hat verschiedene Funktionen, und hohe Zahlen in einzelnen Büchern können verschiedene Gründe haben. An der Spitze stehen Leviticus, Obadja, Amos, Sacharja, Deuteronomium und Hesekiel. Diese in Frage stehende Form passt besonders gut zu den gesetzlichen Vorschriften und den prophetischen Aussagen. Die Belegstellen sind auch besonders häufig in den beiden ersten Teilen des Kanons, im Gesetz und in den Prophetenbüchern, während sie in den übrigen Schriften (wie auch bei Jona) meistens niedrigere Zahlen aufweisen. In den Schriften finden sich hohe Zahlen nur in Daniel und Prediger.

*we*Impf weist durchweg niedrigere Werte auf, und es ist deshalb schwierig, besondere Tendenzen im Material zu finden. Verhältnismässig hoch liegen Daniel, Hiob, Jesaja 40—66, Habakuk, Hosea, der Psalter, Jona und Micha. Nach diesen Schriften zeichnet sich eine deutliche Grenze gegenüber den übrigen ab. Besonders niedrige Zahlen haben Josua, Hesekiel, Esra und Leviticus.

Wie schon gesagt müssen diese Resultate mit weiteren Vorbehalten versehen werden. So hat z.B. Josua 13 Belege pro Seite für *wa*Impf im Vergleich zu 26,5 in Richter. Der Grund dieses Unterschiedes ist leicht einzusehen: die zweite Hälfte des Josuabuches handelt zum grössten Teil von der Verteilung des Landes zwischen den Stämmen. Der narrative Stil wird dabei natürlich spärlicher. Die erste Hälfte des Buches hat auch 18 Belege pro Seite gegenüber 9 in der zweiten Hälfte des Buches. Statt dessen wird *we*Perf häufiger bei den Vorschriften über den Verlauf der Grenzen zwischen den Stämmen, und Josua weist auch 3,9 derartige Belege pro Seite auf gegenüber 2,3 in Richter.

Ein anderes Beispiel für die Einwirkung des Inhalts auf die äussere Form bietet Leviticus. Dieses Buch zeigt niedrige Werte bei *we*Impf und auch bei *wa*Impf, aber liegt am höchsten bei *w*ᵉPerf. Das hängt damit zusammen, dass das Buch fast ausschliesslich Vorschriften enthält, die aussagen, was getan werden soll.

Einige Bücher wie Prediger und Hoheslied zeigen ihre eigenes Muster. Es lässt sich nicht ohne weiteres sagen, ob das mit dem Inhalt dieser Bücher zusammenhängt, oder ob diese Bücher wirklich in gewisser Hinsicht sprachlich vom übrigen Alten Testament abweichen. Die Antwort ist auch davon abhängig, wie das „normale" alttestamentliche Hebräisch definiert wird.

Vor dem Hintergrund dieser Vorbehalte lassen sich jedoch gewisse Schlüsse ziehen, wenn verschiedene Bücher miteinander verglichen werden. Wenn wir z.B. die Bücher des deuteronomistischen und des chronistischen Geschichtswerkes aufreihen zusammen mit den Büchern, die ein ähnliches Muster zeigen, ergibt sich das folgende Bild:

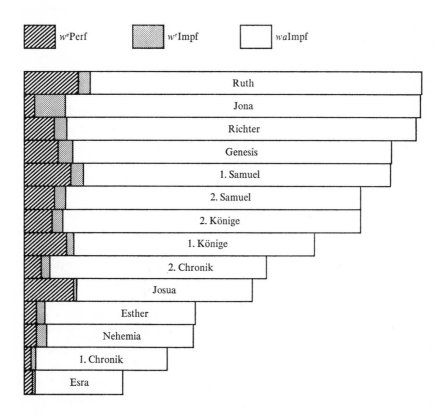

Es zeigt sich deutlich, dass das deuteronomistische Geschichtswerk eine zusammenhängende Gruppe bildet. An diese Gruppe schliessen sich auch

Genesis, Ruth und Jona an. Bei den beiden letzteren muss man vorsichtig sein, weil die Bücher so kurz sind, aber es ist jedenfalls deutlich, dass ein Buch wie Ruth denselben erzählenden Stil hat wie das deuteronomistische Geschichtswerk. Wie schon erwähnt nimmt Josua wegen des Inhalts eine Sonderstellung ein. Der zweite Teil des Buches zeigt eine Struktur, die an Numeri erinnert:

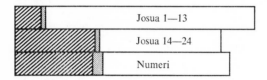

Josua 1—13 unterscheidet sich jedoch vom deuteronomistischen Geschichtswerk vor allem dadurch, dass die Belege mit *wa*Impf geringer an Zahl sind. Das kann aber damit zusammenhängen, dass der erste Teil von Josua verhältnismässig lange Stücke mit Reden der handelnden Personen enthält.

Im chronistischen Geschichtswerk weisen die betreffenden Verbformen durchweg eine niedrigere Frequenz auf. An diese Schriften schliesst sich auch Esther an. Auch wenn man beim Vergleich in Einzelheiten vorsichtig sein muss (Esther und Nehemia zeigen ja fast das gleiche Muster, obwohl sie inhaltlich ziemlich verschieden sind), ist es offensichtlich, dass das chronistische Geschichtswerk den anderen erzählenden Büchern gegenüber eine zusammenhängende Gruppe bildet. Das kann kaum ein Zufall sein.

Die Frage erhebt sich dann, ob das chronistische Geschichtswerk durchweg weniger Verbformen aufweise, oder ob es sich nur um eine Verschiebung z.B. in Richtung auf Perfekt- und Imperfektformen ohne *waw* handle. Um diese Frage etwas näher zu untersuchen, vergleichen wir 2. Chronik mit 2. Könige. Diese beiden Bücher enthalten etwa gleichartigen Stoff.

In 2. Chronik kommen die betreffenden Verbformen durchweg spärlicher vor. Bei reinem Perf ist die Differenz geringer; hier hat 2. Könige nur eine um 10 % höhere Frequenz. Bei *we*Impf hat 2. Könige eine um 30 % höhere Frequenz; bei *wa*Impf und reinem Impf 40 % und bei *we*Perf 50 %. Es ist schwer einzusehen, welche Ausdrucksmittel 2. Chronik statt der fehlenden Menge der betreffenden Verbformen wählt. Eine Antwort auf diese Frage verlangt eine weitere Untersuchung unter Berücksichtigung der besonderen Stücke, die aus dem deuteronomistischen Geschichtswerk übernommen wurden. Auch andere syntaktische Kon-

	2. Könige		2. Chronik	
	Anzahl	pro Seite	Anzahl	pro Seite
Perf	620	11,5	601	9,9
waImpf	1210	22,4	980	16,1
Impf	235	4,4	186	3,0
wePerf	114	2,1	85	1,4
weImpf	45	0,8	35	0,6
Insgesamt	2224	41,2	1887	31,0

struktionen müssten dabei beachtet werden. So zeigt z.B. Kropat[69], wie die Konstruktion mit *wajhi* in der Chronik zurücktritt und wie das *waw* auch in anderer Hinsicht in einer vom älteren Hebräisch ein wenig abweichenden Weise auftritt.

Zusammenfassend lässt sich sagen, dass das sprachliche Muster, das die verschiedenen Bücher bei ihrer Wahl der betreffenden Verbformen zeigen, direkt vom Inhalt des Buches abhängig ist. Darüber hinaus ist aber zu bemerken, dass zwar die grundlegende sprachliche Struktur durchweg dieselbe ist, sich in den jüngeren alttestamentlichen Schriften jedoch eine Tendenz zur Einschränkung gewisser Formen erkennen lässt.

[69] Kropat (1909).

5 Arbeitshypothese

In dieser Untersuchung von hebräischem Perf und Impf mit *waw* geht es darum, den Gebrauch von *we*Perf und *we*Impf zu analysieren, um den möglicherweise vorliegenden Unterschied im Gebrauch der beiden Formen festzustellen. Dabei muss man aber mit der Diskussion über die Bedeutung von Perf und Impf an sich anfangen. Die schon angeführten verschiedenen Meinungen in dieser Frage stellen zwar auf den ersten Blick kaum eine Synthese in Aussicht, aber eine nähere Prüfung der angeführten Inhaltsbestimmungen von Perf und Impf lassen ohne Zweifel gewisse Linien hervortreten.

In den Auseinandersetzungen in dieser Frage spielt man leicht verschiedene Erklärungsversuche gegeneinander aus und lässt z.B. die aspektuelle Erklärung die temporale ausschliessen. Aber es ist zweifellos richtiger, hier mit einem Nebeneinander zu arbeiten. Wenn wir, von unseren Zeitstufen ausgehend, die Frage nach dem Tempus an das hebräische Verbum richten, erhalten wir natürlich die Antwort, dass das Perf die Vergangenheit bezeichne und das Impf die Gegenwart oder die Zukunft. Aber gleichzeitig empfinden wir, dass diese Antwort nicht richtig stimmt. Stellen wir stattdessen unsere Frage in der Kategorie vollendet — unvollendet, wird die Antwort selbstverständlich, dass das Perf eine vollendete und das Impf eine unvollendete Handlung bezeichne. Wir empfinden dabei, dass diese Antwort richtiger ist als die vorige, aber doch nicht die endgültige sein kann. Wenn wir zusammenfassend die gegebenen Antworten auf die Frage nach dem Inhalt der beiden Formen hin charakterisieren wollen, bieten die Beschreibungen von S.R.Driver und Nyberg gute Ausgansgpunkte. Das Begriffspaar „von aussen her gesehen — von innen her gesehen" sowie die Darstellung des Perfekts als eines ruhenden Faktums und des Imperfekts als einer Handlung der im Substantiv wirkenden Energie sind wichtig. Das Perf ist stillstehend, punktuell, momentan. Es konstatiert, pauschal oder zusammenfassend, eine vorliegende Tatsache von aussen oder von oben her. Das Impf ist kursiv, sich bewegend. Es dringt in das Geschehen ein, schildert und beschreibt von innen her. „Das Perfekt ist ein Lichtbild, das Imperfekt ein Film" — so drückt Birkeland die Sache zusammenfassend aus[70]. Diese vorliegende Polarität zwischen Perf und Impf wird von der vorhandenen Form *wa*Impf gestört. Diese Form passt weder auf die eine noch auf die andere Seite. Es ist auserdem deutlich, dass sie eine starke Anlehnung an die Zeitstufe der Vergangenheit hat, etwa dem griechischen Aorist entsprechend. Es lassen sich zwar mehrere Fälle zeigen, wo *wa*Impf nicht als Aorist aufgefasst werden kann, z.B. wenn es als „imperfectum conatus" steht[71]. Hier kann man aber die Frage stellen, ob das Hebräische in diesem Fall dieselbe Distinktion wie wir erlebt hat, oder ob nicht eher die Handlung schon auf der vorbereitenden Stufe als eine Realität aufgefasst wurde. Es wäre dann möglich, denselben Ausdruck für Handlungen zu verwenden, deren gemeinsames Kennzeichen ist, dass sie in Richtung auf ihr Ziel unterwegs sind. Es ist auch möglich, mit Gross den perfektiven Aspekt von *wa*Impf zu betonen[72], aber die grosse Anzahl von Fällen, wo *wa*Impf eine an den Aorist erinnernde narrative Funktion hat, macht es meines Erachtens schwierig, hier von der temporalen Erklärung völlig abzusehen. Vieles hängt jedoch davon ab, wie man die gebrauchten Termini näher definiert.

In der Forschung liegen Versuche vor, das *wa*Impf enger mit dem gewöhnlichen Impf zu verknüpfen, aber die Einwände dagegen sind schwerwiegend. Die formalen Unterschiede treten nicht nur im Zusammenhang mit dem einleitenden *waw* auf, sondern auch in der Anlehnung der konsekutiven Form an den Jussiv und die dabei auftretenden Tonverschiebungen. Die Funktionen der beiden Verbformen sind auch völlig verschieden.

Im Hebräischen ist *wa*Impf schon von Anfang an da und stirbt am Ende der alttestamentlichen Sprachperiode allmählich aus[73]. Die Form war offenbar auch in älteren verwandten Sprachen vorhanden. In der klassischen hebräischen Sprache haben die verschiedenen Formen des Verbums im Verhältnis zueinander ein Gleichgewicht erreicht. Rabin erwähnt in diesem Zusammenhang das Prinzip der Polarisierung[74]. Hier wäre auch auf Rundgrens übergreifende Untersuchung über die drei semitischen Aspektverschiebungen hinzuweisen[75].

Da die erzählende Darstellung der Vergangenheit (oder vielleicht richtiger die Ereignisse, die wir durch ein Vergangenheitstempus ausdrücken)

---

[70] Birkeland (1950) 108.
[71] Nyberg (1952) 276, Saydon (1962).
[72] Gross (1976) 163ff.
[73] Zur Frage der konsekutiven Tempora in Qumran vgl. Beyer (1971) 95f.
[74] Rabin (1970) 312 N.47 mit weiteren Literaturangaben.
[75] Rundgren (1963) bes. 98ff.

im Hebräischen zum grossen Teil durch *wa*Impf ausgedrückt wurde und *wa*- dabei (etymologisch vermutlich zu Unrecht) als die Korpula „und" aufgefasst wurde, konnte diese Form dann eigentlich nur dort verwendet werden, wo ein „und" angebracht war. Daraus ergibt sich, dass reines Perf in den meisten übrigen Fällen als „Tempus der Vergangenheit" verwendet wird. Ein Perf mit vorangestelltem w^e- wurde aber in diesen Fällen nicht verwendet, da *wa*Impf auf diesem Gebiet schon die Herrschaft besass. Bobzin zieht hier den Schluss, das w^ePerf, diachronisch gesehen, nicht aus der Bedeutung des Perfekts herzuleiten sei, sondern ganz von der Stellung im System abhängig sei[76]. Aber sind diese beiden Alternativen unvereinbar? Das reine Perf hat einen grösseren Bereich als das w^ePerf. Das w^ePerf wurde auf die Gebiete verwiesen, wo *wa*Impf nicht verwendet werden konnte, z.B. bei „und" + Handlungen, die in finaler oder konsekutiver Beziehung zum Vorhergehenden stehen. Das bedeutet aber nicht, dass das Perf hier eine neue finale oder konsekutive Bedeutung angenommen hätte — diese Bedeutung liegt in der ganzen Konstruktion mit „und" + Perf und gleichzeitig natürlich auch in der Tatsache, dass *wa*Impf im System vorhanden ist. Das w^ePerf und das Perf haben beide den Charakter der vollendeten abgeschlossenen Handlung; einer Handlung, die von aussen her als etwas Ganzes gesehen wird. Auf den ersten Blick stimmt das schlecht mit der finalen oder konsekutiven Funktion des Perfekts überein, wo ein w^ePerf gerade die Unselbständigkeit der Handlung und ihre Abhängigkeit vom Vorhergehenden betont. Aber eben hier tritt der Charakter des Perfekts hervor: die betreffende finale oder konsekutive Handlung wird von aussen her als ein Ganzes gesehen. Das ganze Ereignis ist mit einem Mal schon da. Mit einem „und" + Perf wird das folgende Geschehen als eine fertige, vollständige Ganzheit konstatiert. Man geht nicht auf die folgende Handlung ein, um die Initiative oder Intentionen des agierenden Subjekts zu schildern, sondern man sieht das Geschehen als ein fertiges Moment, das von aussen her in seinem Zusammenhang konstatiert wird.

In ähnlicher Weise hat auch das Impf seine Grundbedeutung bewahrt, wenn ein w^e- vorangeht. Das Impf schildert das Unvollendete, das sich Bewegende, und betont eben dadurch die Initiative, die verschiedenen Massnahmen des handelnden Subjekts; seine eigenen Versuche und sein Streben in eine besondere Richtung. Die Handlung wird von innen her gesehen.

Die folgende Anwendung dieser Arbeitshypothese auf die Texte wird zeigen, inwiefern sie als Erklärungsmodell brauchbar ist und wo gewisse Abgrenzungen der Anwendbarkeit nötig sind.

[76] Bobzin (1973) 153.

II BELEGSTELLEN AUS DEN TEXTEN

1 Methodische Fragen

Die grosse Menge von Belegstellen (mehr als 7000) wirft sofort die methodische (und auch die praktische) Frage auf, wie dieses Material bei der Bearbeitung am besten präsentiert werden soll. Bei der notwendigen Auswahl scheint es am richtigsten, vor allem zwei Kategorien von Belegen anzuführen: einerseits diejenigen, die besonders deutlich sind und sich deswegen gut dazu eignen, den besonderen Charakter von w^ePerf bzw. w^eImpf darzustellen, und anderseits diejenigen Belege, die auf den ersten Blick fraglich sind. Von diesen letzteren werden möglichst viele Beispiele angeführt, um die Tragweite und Abgrenzung der Arbeitshypothese genau zu bestimmen.

Ferner ist die Frage zu stellen, ob die alttestamentlichen Bücher einzeln behandelt werden müssen, oder ob man die alttestamentlichen Texte als ein sprachlich einheitliches Ganzes behandeln kann. Die oben angeführten statistischen Beobachtungen haben vorläufig, aber deutlich genug, gezeigt, wie die verschiedenen Bücher sich in dieser Hinsicht voneinander unterscheiden. Die Texte sind also gesondert zu behandeln. Es zeigte sich aber auch, dass ein grosser Teil der alttestamentlichen Prosaliteratur in bezug auf die betreffenden Verbformen eine ziemlich einheitliche Grösse ausmachte. Auch wenn die Frequenz der verschiedenen Verbformen an sich nichts über die Bedeutung dieser Formen aussagt, liegt doch bei einem ähnlichen Muster die Annahme nahe, dass auch der Bedeutungsinhalt ähnlich sei. Hier ist ein Ausgangspunkt, bei dem die Untersuchung anfangen kann.

Dieser Ausgangspunkt ist der Pentateuch und das deuteronomistische Geschichtswerk. Diese Texte (die zusammen fast die Hälfte des ganzen Alten Testaments umfassen) zeigen in ihrem Gebrauch der betreffenden Verbformen ein einheitliches Bild, wo die vorliegenden Unterschiede sich aus dem verschiedenen Inhalt der Bücher erklären lassen. Hier befindet sich die Hauptmasse der erzählenden Stücke des Alten Testaments. Wenn diese Texte eine eindeutige Antwort auf die gestellte Frage geben und die vorliegenden Abweichungen ihre Erklärung finden, ist

anzunehmen, dass wir den Sprachgebrauch im klassischen alttestamentlichen Hebräisch in diesem Punkt vor uns haben.

Mit diesen Texten sind dann die übrigen alttestamentlichen Bücher zu
vergleichen, damit ihre grösseren oder kleineren Abweichungen vom
„klassischen Hebräisch" festgestellt werden können. Die Untersuchung
muss hier, unter anderem mit Rücksicht auf die besonderen Fragen, die
die poetischen Texte aufwerfen, auf viele Fragestellungen verzichten,
zu deren Beantwortung weitere Sonderuntersuchungen nötig wären.

2 Der Pentateuch und das deuterono-
mistische Geschichtswerk

a) w^e Perf

Das Perf mit vorangehendem w^e- kommt in verschiedenen Zusammenhängen und mit verschiedenen Bedeutungen vor. Obwohl die Grenzen
zwischen den einzelnen Funktionen von w^ePerf nicht immer ganz scharf
sind (was vielleicht auch darauf beruht, dass unsere grammatischen
Kategorien in erster Linie unseren abendländischen Sprachen angepasst
worden sind), ist es jedoch deutlich, dass w^ePerf eine Reihe sehr verschiedene Funktionen hat.

w^ePerf in futuraler, finaler oder konsekutiver Bedeutung

Hierher gehört die Mehrzahl der Fälle von w^ePerf. Es handelt sich
meistens um eine Vorschrift oder um eine Folge, auf welche das Vorhergehende zielt. Die Übersetzung wird im Deutschen meistens eine Futur-
form oder konsekutive Konstruktion benutzen: „Gib ihm das Buch, und
er wird lesen, und er soll lesen, damit er lese." Das w^ePerf entspricht in
der deutschen Übersetzung deswegen oft einer Konstruktion mit den
Hilfsverben „werden", „sollen" oder „müssen". Genau wie diese Verben
in ihrer Funktion nicht immer scharf voneinander abzugrenzen sind,
hat auch das hebräische w^ePerf eine Funktion, die in Einzelfällen oft
nicht als nur futural oder nur final bezeichnet werden kann. In vielen
Fällen lässt sich zwar die Bedeutung ziemlich genau abgrenzen, z.B. die
futurale Bedeutung in Gen 12,12: „Und es wird geschehen (w^ePerf),
wenn dich die Ägypter sehen (Impf), dass sie sagen werden (w^ePerf): Es
ist seine Frau, und sie werden mich töten (w^ePerf) und dich leben lassen
(Impf)." In Ex 25,13 geht es um einen Befehl, dessen Inhalt am besten
mit einer Form von „sollen" übersetzt wird: „Und du sollst Stangen von
Akazienholz machen (w^ePerf), und du sollst sie mit Gold überziehen
(w^ePerf)." In Ex 17,6 sagt der Herr zu Mose: „Und du sollst den Fels
schlagen (w^ePerf), so wird Wasser herauslaufen (w^ePerf), dass das Volk

trinke (w^ePerf)." Die beiden letzten w^ePerf sind final oder konsekutiv zu verstehen.

Die allermeisten Fällen von w^ePerf haben das gemeinsam, dass sie mehr oder weniger deutlich in enger Abhängigkeit vom Vorhergehenden stehen. Das Folgende wird dabei nicht als ein eigener Verlauf mit einem neuen Ansatz geschildert, sondern wird als eine Ganzheit dargestellt, die als Folge des Vorhergehenden schon da sein wird. Diese im Vorhergehenden vorhandene Intention verleiht, von unserem Gesichtspunkt aus gesehen, in diesen Fällen dem Folgenden einen futuralen, konsekutiven oder finalen Charakter.

Unter den mehr als 6000 Belegen für w^ePerf gehört die Mehrzahl den jetzt erwähnten Gruppen an. Als Beispiele für Fälle, die einer näheren Besprechung bedürfen könnten, seien die folgenden angeführt.

Gen 9,9.11: „Siehe, ich richte (Partizip) mit euch meinen Bund auf ... Und ich richte meinen Bund also mit euch auf (w^ePerf.)" Die Bundesproklamation wird in V. 9 mit einer Partizipform eingeleitet und fährt dann mit einer Reihe von w^ePerf fort, durch welche der Inhalt des Bundes näher beschrieben wird.

Gen 34,15—17: „Nur unter der Bedingung wollen wir euch zu Willen sein (Impf), wenn ihr so werden wollt (Impf) wie wir sind, nämlich wenn alles, was männlichen Geschlechts bei euch ist, sich beschneiden lässt. Dann wollen wir euch unsere Töchter geben (w^ePerf) und eure Töchter uns zu Frauen nehmen (Impf) und wollen bei euch wohnen (w^ePerf) und zu einem Volk mit euch werden (w^ePerf). Wollt ihr aber auf unseren Vorschlag, euch beschneiden zu lassen, nicht eingehen (Impf), so nehmen wir (w^ePerf) unsere Tochter und ziehen weg (w^ePerf)." Durch die Verwendung von w^ePerf wird die enge Verbindung mit dem Vorhergehenden unterstrichen. Es wird gezeigt, dass das folgende Geschehen ganz von der angeführten Bedingung, der Beschneidung, abhängig ist. Die redenden Jakobssöhne sprechen sich hier die eigene Initiative ab; die vollte Entscheidung soll bei denen liegen, die angeredet werden. Durch ihre Wahl bestimmen sie, wie Jakob und seine Söhne handeln werden. Wenn ein Impf in die Reihe von w^ePerf tritt, kann das darauf beruhen, dass man die eigene Initiative ein wenig mehr unterstreichen will: „Wir sind auch bereit, uns eure Töchter zu Frauen zu nehmen."

Ex 40,30f.: „... und er tat (waImpf) Wasser darein zum Waschen. Und Mose, Aaron und seine Söhne sollten ihre Hände und Füsse darin waschen (w^ePerf)." Samaritanus liest hier waImpf, wodurch das Waschen ein neuer und selbständiger Punkt in der Darstellung wird. Durch das w^ePerf im masoretischen Text wird die vorgehende Absicht unterstrichen.

Lev 19,23: „Und wenn ihr in das Land kommt (Impf) und allerlei Obst-
bäume pflanzt (wePerf), sollt ihr deren Vorhaut — das ist ihre Frucht —
als Vorhaut ansehen (wePerf).“ Das letzte wePerf ist ein Befehl; das erste
gehört unter die Bedingungen. Die Formen stehen trotz der verschiedenen Funktionen nebeneinander.

Num 14,40: „Und sie zogen (waImpf) auf die Höhe des Gebirges und
sagten: Hier sind wir und sollen hinaufziehen (wePerf) in die Gegend,
von welcher der Herr geredet hat (Perf).“ Durch wePerf wird vom Volk
unterstrichen, dass sie auf den Befehl eines Anderen hinaufziehen: „Hier
sind wir und sollen also hinaufziehen.“ Eine weImpf würde etwa bedeuten: „Hier sind wir, und nun wollen wir hinaufziehen.“

Jos 15,2f.: „Und ihre Südgrenze ging (waImpf) ... und sie ging aus
(wePerf) ...“. Hier wie in den folgenden Kapiteln wird durch wePerf
angegeben, wie die Grenzen verlaufen sollten. Die ganze Darstellung ist
eine nähere Entwicklung von dem, was schon festgestellt worden ist.

Ri 1,24: „Zeige (Imperativ) uns doch einen Zugang in die Stadt, so werden wir Barmherzigkeit an dir tun (wePerf).“ Durch wePerf wird klar
gemacht, dass der Angeredete die volle Entscheidung in seiner Hand
hat. Durch sein Handeln bestimmt er, wie sich die Sache entwickeln
soll.

Ri 4,20: „Und er sprach (waImpf) zu ihr: Stelle dich (Imperativ) in den
Eingang des Zeltes, und es wird sein (wehaja, wePerf) wenn jemand
kommt (Impf) und dich fragt (wePerf) und sagt (wePerf): Ist jemand
hier, so sollst du sagen (wePerf): Keiner.“ Die Form wehaja (Näheres
unter c) im folgenden) hat eine selbständigere Funktion mit einer gewissen zeitlichen Anknüpfung bekommen: „und es wird geschehen dass“,
auch in hypothetischen Fällen. Die beiden „und er fragt“ bzw. „und er
sagt“ lehnen sich an das Vorhergehende „wenn jemand kommt“ an und
werden davon regiert; das letzte „und du sollst sagen“ lehnt sich an das
erste „stelle dich in den Eingang“ an.

1.Kön 3,9: „So solltest du deinem Knecht ein gehorsames Herz geben
(wePerf).“ Es könnte allzu kategorisch erscheinen, wenn Salomo mit
einem wePerf von Gott verlangt, was er tun soll. Die Form kann aber als
eine Weiterentwicklung von Gottes Verheissung im Vorhergehenden verstanden werden.

1.Kön 5,7: „Und die Vögte versorgten (wePerf) den König Salomo ...“.
Durch wePerf wird die beabsichtigte Aufgabe der Vögte näher beschrieben.

2.Kön 3,4: „Und Mesa, der König von Moab, war (Perf) *noqed*, und er hatte dem König von Israel 100.000 Lämmer ... zu liefern (*wᵉ*Perf)." Entweder war seine Pflicht, diesen Tribut abzugeben, eine Folge davon, dass er *noqed* war, oder aber die Aussage ist iterativ zu verstehen: Er musste diesen Tribut regelmässig liefern. (Über die iterative Bedeutung des *wᵉ*Perf siehe weiter unten.)

2.Kön 9,26: „Sollte ich nicht das Blut Naboths und das Blut seiner Söhne gestern gesehen haben (Perf), sagt der Herr. Und ich werde dir vergelten (*wᵉ*Perf) auf diesem Acker, sagt der Herr." Das Gesagte ist eine Folge von Gottes Beschluss, der im Vorhergehenden liegt. Eine neue Entscheidung oder eine neue Initiative von seiten Gottes ist nicht nötig; die Sache ist schon klar.

2.Kön 20,17: „Siehe, es kommt die Zeit, da alles, was in deinem Haus ist, ... nach Babel weggebracht wird (*wᵉ*Perf)." Wenn diese Zeit da ist, ist auch das Wegführen eine Tatsache. Wir müssen das *wᵉ*Perf mit einem Futur übersetzen, weil die Sache in der Zukunft liegt.

2.Kön 23,27: „Und der Herr sprach (*wa*Impf): Auch Juda will ich mir aus den Augen schaffen (Impf), wie ich Israel verstossen habe (Perf), und ich werde diese Stadt verwerfen (*wᵉ*Perf) ...". Auch hier entspricht *wᵉ*Perf in unserer Übersetzung einem Ausdruck der Zukunft. Dass der Herr die Stadt verwirft, ist aber eine notwendige Folge der schon anfangs gesagten Worte. Ein *wᵉ*Impf hätte hier das Verwerfen als eine neue und weitere Massnahme Gottes dargestellt.

*wᵉ*Perf in iterativer Bedeutung

Wenn *wa*Impf als ein „und" + einmaliges Geschehen in vergangener Zeit aufgefasst wird, gibt es offenbar viele Fälle von „und" + Verbform, wo ein *wa*Impf einen unrichtigen Sinn ergeben würde. Zu diesen Fällen gehören die Stellen mit iterativer Bedeutung. Die Grenze zu anderen Bedeutungen ist zum Teil unscharf — so ist es z.B. der Fall in einigen der oben angeführten Beispiele wie auch in den ersten unten angeführten. Gemeinsam ist ihnen, dass ein *wa*Impf oder ein *wᵉ*Impf einen nicht beabsichtigten Sinn ergeben würde.

Gen 2,6: „Und ein Wasserdunst(?) stieg von der Erde auf (Impf) und tränkte (*wᵉ*Perf) die ganze Oberfläche des Erdbodens." Das *wᵉ*Perf könnte hier auch final oder konsekutiv verstanden werden: Das Tränken ist die beabsichtige Folge, wenn das Wasser hervortritt, und eine neue Initiative ist nicht nötig. Ein *wa*Impf würde hier das Geschehen als einmalig darstellen.

Gen 2,24: „Darum verlässt (Impf) ein Mann seinen Vater und seine Mutter und hängt seinem Weibe an (w^ePerf), und sie werden ein Fleisch sein (w^ePerf)." Die beiden Formen „hängt ... an" und „werden ein Fleisch sein" drücken die Folge aus, die schon im ersten Satz enthalten ist. Der iterative Charakter liegt in der Gemeingültigkeit der Aussage. Darin liegt selbstverständlich auch etwas Normierendes; die Grenzen zwischen den verschiedenen Funktionen des w^ePerf sind ja von unserem Blickpunkt her formuliert worden.

Gen 3,18: „Dornen und Disteln soll er dir tragen (Impf), und du sollst das Kraut des Feldes essen (w^ePerf.)" Auch hier ist die Grenze zu Befehl oder Futur natürlich fliessend.

Gen 29,3: „Und sie pflegten die Herden da zu versammeln (w^ePerf), und sie wälzten (w^ePerf) den Stein vom Brunnenloch und tränkten (w^ePerf) die Schafe und legten (w^ePerf) den Stein wieder zurück ...". Diese Erzählung steht als parenthetischer Einschub in einem grösseren Zusammenhang, wo Jakobs Reise nach dem Osten geschildert wird. Durch den Einschub wird vermerkt, was regelmässig geschah. Ein waImpf wäre hier wegen seines aoristischen Charakters nicht möglich.

Gen 31,7: „Und euer Vater hat mich getäuscht (Perf), und er hat zehnmal meinen Lohn verändert (w^ePerf)." Die Bedeutung könnte sowohl iterativ sein als vom Vorhergehenden regiert: Das zweite Glied sagt eigentlich nichts neues, sondern entwickelt nur näher, was schon darin liegt, dass der Schwiegervater ihn getäuscht hat. Im Apparat wird unter Hinweis auf Samaritanus und in Anlehnung an V. 41 als mögliche Lesart waImpf erwähnt. Diese Variante ist jedoch eher als eine spätere Harmonisierung zu betrachten. Die Konstruktion ist auch in V. 41 eine andere.

Ex 1,19: „... ehe dei Hebamme zu ihnen kommt (Impf), haben sie geboren (w^ePerf)." Die Stelle kann auch als Plusquamperfekt entsprechend verstanden werden, vgl. unten.

Ex 12,48: „Und wenn ein Fremder bei dir wohnt (Impf) und das Passah dem Herrn hält (w^ePerf), der beschneide alles, was männlich ist ...". Dieser Text kann in verschiedener Weise verstanden werden — ob der Fremde verpflichtet war, Passah zu feiern (vgl. V. 49), oder ob er sich selbst dazu entschliessen konnte (vgl. V. 45). Das w^ePerf spricht eigentlich dafür, das Feiern des Passah als eine Folge vom Vorhergesagten zu verstehen, aber die Perfektform kann auf dem iterativen Charakter des Ausdruckes beruhen.

Ex 16,21: „Und die sammelten (waImpf) es alle Morgen, ein jeder nach

seinem Bedarf; sobald aber die Sonne heiss schien (w^ePerf), zerschmolz
es (w^ePerf)." Das Sammeln wird durch waImpf ausgedrückt (es wird zusammenfassend als ein Geschehen betrachtet), aber die folgenden Bemerkungen über die Sonnenhitze und das Zerschmelzen beschreiben den
iterativen Verlauf des Geschehens näher.

Num 11,8: „Das Volk streifte umher (Perf) und sammelte es (w^ePerf)
und zermahlte es (w^ePerf) mit Mühlen . . .". Die beiden letzteren Formen
beschreiben das Geschehen näher.

Jos 6,8: „Und die sieben Priester . . . gingen (Perf) und bliesen (w^ePerf)
die Posaunen . . .". Ein waImpf als letzte Form hätte die Bedeutung ergeben: „Sie gingen heraus und bliesen darauf die Posaunen." Das hätte
aber schlecht in den Zusammenhang gepasst, da dieser deutlich iterativ
ist. Dasselbe w^ePerf kommt auch in V. 13 vor, wenn man nicht mit Qere
hier einen Infinitiv lesen will (was an sich durchaus denkbar ist).

Ri 19,30: „Und es geschah (w^ePerf) dass jeder, der es sah, der sprach
(w^ePerf) . . .". Die Konstruktion ist konsekutiv mit iterativer Bedeutung.

1.Sam 1,3: „Und dieser Mann ging hinauf (w^ePerf) von seiner Stadt Jahr
für Jahr . . .". Der Sinn ist deutlich iterativ.

1.Sam 1,4f.: „Und es geschah (waImpf) eines Tages, dass Elkana opferte
(waImpf), und er gab (w^ePerf) seiner Frau Peninna und allen ihren
Söhnen und Töchtern Stücke. Und der Hanna gab er (Impf) . . .". Der
Zusammenhang ist nicht ganz klar (und auch textkritisch ein wenig unsicher), aber es scheint, als ob die beiden waImpf eine besondere Gelegenheit schildern, während das folgende w^ePerf erzählt, was er zu tun pflegte.
Dieses wird auch durch das Impf im Folgenden unterstrichen wie auch
durch die Verbformen in den folgenden Versen bis V. 7, wo die Erzählung
mit waImpf wieder an die in Frage stehende Gelegenheit anknüpft.

1.Sam 7,15f.: „Und Samuel richtete (waImpf) Israel . . . und er ging
(w^ePerf) jährlich und begab sich (w^ePerf) nach Bethel, Gilgal und Mizpa
und richtete (w^ePerf) Israel . . .". Hier hat w^ePerf iterative Bedeutung
und entwickelt gleichzeitig den Inhalt des ersten waImpf.

1.Sam 17,35: „Und ich lief ihm (dem Löwen oder dem Bären) nach
(w^ePerf) und schlug ihn (w^ePerf) und errettete es (w^ePerf) aus seinem
Maul. Leistete er mir aber Widerstand (waImpf), so packte ich ihn
(w^ePerf) bei seinem Bart und schlug ihn (w^ePerf) und tötete ihn (w^ePerf)."
Will man nicht das waImpf mit dem Apparat in die konsekutive Reihe
von w^ePerf einordnen, kann man die Form als Anfang einer neuen Reihe
von Ereignissen sehen. Das wilde Tier hat wohl in einigen Fällen seinen

Raub fahren lassen und nicht immer Widerstand geleistet (was ein *w*ePerf angedeutet hätte).

2.Sam 20,12: „Da er sah (Perf), dass jeder, der vorbeikam (Partizip), stehenblieb (*w*ePerf) ...". Die Konstruktion ist konsekutiv: jeder, der an dem toten Amasa vorüberging, wurde veranlasst stehenzubleiben. Aber der Sinn ist auch iterativ, und ein *wa*Impf wäre nicht möglich.

1.Kön 9,25: „Und Salomo opferte (*w*ePerf) dreimal jährlich Brandopfer ...". Diese Worte stehen als Einleitung eines neuen Absatzes. Die Form *w*ePerf wird *wa*Impf vorgezogen, weil der Sinn iterativ ist.

2.Kön 6,10: „Da sandte (*wa*Impf) der König von Israel an den Ort, den ihm der Gottesmann bezeichnet (Perf) und vor dem er ihn gewarnt hatte (*w*ePerf), und er nahm sich dort in acht (*w*ePerf); nicht nur einmal oder zweimal." Aus dem Zusammenhang geht hervor, dass es sich um ein wiederholtes Geschehen handelt. Das erste *w*ePerf könnte auch für ein Plusquamperfekt stehen (siehe unten).

*w*ePerf als Plusquamperfekt

In einigen Fällen wird mit *w*ePerf eine Nebenbemerkung bezeichnet; eine parenthetisch eingeschobene Auskunft oder Vorbemerkung. Wenn dies in einer Erzählung der Vergangenheit geschieht, entspricht das *w*ePerf regelmässig unserem Plusquamperfekt.

Gen 28,6: „Und Esau sah (*wa*Impf), dass Isaak Jakob gesegnet hatte (Perf) und ihn nach Paddan-Aram geschickt hatte (*w*ePerf) ...". Das *w*ePerf hier in ein *wa*Impf zu ändern, wie im Apparat ein wenig zögernd vorgeschlagen wird, würde etwa die Übersetzung ergeben: „Und Esau sah, dass Isaak Jakob segnete und ihn nach Paddan-Aram schickte ...". Im Kontext ist ein Plusquamperfekt offenbar die richtige Übersetzung, und das *w*ePerf ist als Lesart vorzuziehen.

Ri 16,18: „Und Delila sah (*wa*Impf), dass er ihr sein ganzes Herz geoffenbart hatte (Perf), und sie schickte (*wa*Impf) und rief (*wa*Impf) die Fürsten der Philister, indem sie sagte: Kommt (Imperativ) noch einmal herauf, denn er hat mir (Ketib: ihr) sein ganzes Herz geoffenbart (Perf). Und die Fürsten der Philister kamen (*w*ePerf) zu ihr herauf, und sie brachten (*wa*Impf) das Geld mit." Im Ausdruck „und die Fürsten der Philister kamen" hätte man eher ein *wa*Impf erwartet, so wie es auch in 22 Manuskripten vorliegt. Hier ist auch eine Verschreibung ziemlich leicht denkbar. Eine Möglichkeit, *w*ePerf beizubehalten wird durch das Ketib angedeutet: das mittlere Stück könnte als eine parenthetische Erklärung verstanden werden. Die Übersetzung wäre dann etwa: „Kommt noch einmal herauf! Er hatte ihr ja sein ganzes Herz geoffenbart, und die Fürsten der Philister konnten also zu ihr heraufkommen. Und sie brachten das Geld mit.“

2.Sam 19,17ff.: „Und Simei eilte (*wa*Impf) dem König entgegen, und mit ihm ... Ziba, der Diener des Hauses Sauls, mit seinen fünfzehn Söhnen und zwanzig Knechten. Und sie waren schon vor dem König über den Jordan gesetzt (*weᵉ*Perf). Und die Fähre war hinübergegangen (oder: sollte hinübergehen, *weᵉ*Perf), um das Haus des Königs herüberzuholen ...“. Die beiden *weᵉ*Perf erzählen die schon vorhandenen Umstände. Das letzte könnte auch final verstanden werden.

1.Kön 3,11: „(du hast nicht um dieses oder jenes gebeten,) sondern du hast gebeten (*weᵉ*Perf) um Verstand, Gericht zu hören ...“. Die vorbereitenden Umstände sind hier im Deutschen nicht mit dem Plusquamperfekt, sondern mit dem Perf wiederzugeben, weil die Erzählung in der Gegenwart spielt.

1.Kön 11,10: „... und ihm dieses Gebot gegeben hatte (*weᵉ*Perf) ...“. Eine parenthetische Erweiterung, die einem Plusquamperfekt entspricht.

2.Kön 8,10: „Und Elisa sagte (*wa*Impf) zu ihm: Gehe hin (Imperativ) und sage (Imperativ) ihm: Du wirst leben (Infinitiv + Impf). Und der Herr hat mir gezeigt (*weᵉ*Perf), dass er sterben wird.“ Ketib hat stattdessen: „Gehe hin und sage: Du wirst nicht leben.“ Sowohl bei Qere wie bei Ketib wird durch das *weᵉ*Perf die vorangehende Offenbarung als Hintergrund angeführt.

*weᵉ*Perf in besonderen Fällen

Oft wird *weᵉ*Perf in solchen Fällen gebraucht, wo man eigentlich ein *wa*Impf erwartet hätte. Der Grund dafür ist nicht immer klar. Bisweilen zeigt es sich, dass ein *wa*Impf eine andere und offenbar nicht zutreffende Bedeutung ergeben hätte. Es ist auch deutlich, dass *weᵉ*Perf rückwärts weist. Es lehnt sich an das Vorhergehende an, um dessen Inhalt näher zu präzisieren. Während ein *wa*Impf die Erzählung immer eine Stufe weiter führt, drückt das *weᵉ*Perf eigentlich nur das aus, was im Vorhergehenden schon drinliegt. Deswegen findet man nicht selten *weᵉ*Perf in einer Konstruktion von Hendiadyoin. Schliesslich bleiben noch einige Stelle übrig, für welche die oben angeführten Erklärungen von *weᵉ*Perf nicht ausreichen. Hier muss die Frage gestellt werden, ob der Sprachgebrauch angefangen hat zu schwanken. Diese Stellen befinden sich in den jetzt angeführten Schriften vor allem in der letzten Hälfte des 2. Königbuches.

Gen 15,5f.: „Und er sprach (waImpf) zu ihm: So soll dein Same werden (Impf). Und er (Abraham) glaubte (wePerf) dem Herrn, und er rechnete (waImpf) ihm das zur Gerechtigkeit." Ein durchgehendes waImpf hätte Abrahams Glauben in einer natürlichen Weise in die Kette von Ereignissen eingeordnet: Der Herr sprach — Abraham glaubte — der Herr rechnete es zur Gerechtigkeit. Einer iterativen Bedeutung widerspricht das dritte Glied (mit waImpf)[77]. Durch das wePerf wird Abrahams Glaube eher als eine Folge, die vom Vorhergehenden abhängig ist, dargestellt: Der Herr zeigte ihm die Sterne und versprach ihm einen derartigen Samen, so dass er glaubte. Dann rechnete ihm der Herr dies zur Gerechtigkeit. Der Herr ist der Handelnde; Abrahams Tätigkeit wird als eine Folge von Gottes Handeln dargestellt.

Gen 34,5: „Und Jakob erfuhr (Perf), dass seine Tochter Dina geschändet war (Perf). Und seine Söhne waren (Perf) mit dem Vieh auf dem Felde, und deswegen schwieg (wePerf) Jakob, bis sie heimkamen." Eine Textänderung ist unnötig, da wePerf hier aussagen will, dass Jakob von den vorliegenden Umständen zum Schweigen gezwungen wird.

Num 10,17: „Und man zerlegte (wePerf) das Tabernakel, und die Kinder Gerson brachen auf (wePerf) ...". Hier wie im Folgenden hätte man waImpf bei den verschiedenen Momenten des Aufbruchs erwartet. In dieser Schilderung vom Handhaben der heiligen Geräte liegt ein abweichender Sprachgebrauch vor — oder das wePerf wird verwendet, um die Vorgänge als allgemeine vorgeschriebene Regel darzustellen.

Deut 2,30: „... denn der Herr, dein Gott, verhärtete (Perf) seinen Sinn und verstockte (wePerf) sein Herz ...". Die beiden Verben sind als ein Hendiadyoin zu verstehen.

Deut 8,17f.: „Du möchtest sonst sagen (wePerf) in deinem Herzen: Meine Kräfte und die Stärke meiner Hände haben mir diesen Wohlstand verschafft (Perf). Und du sollst an den Herrn denken (wePerf) ...". Das erste wePerf lehnt sich konsekutiv an das Vorhergehende an, während das zweite eine neue Aufforderung enthält: „Nein, du sollst an den Herrn denken ...".

Jos 22,3: „Ihr habt eure Brüder nicht verlassen (Perf) ... und habt das Gebot des Herrn, eures Gottes, treu erfüllt (wePerf)." Ein waImpf am

---

[77] Vgl. die Diskussion bei Huesman (1956) 413. Huesman will die Form als Infinitivus absolutus verstehen.

Ende hätte das Geschehen in zwei verschiedene Momente aufgeteilt. Durch w^ePerf wird dagegen gesagt, dass sie das Gebot erfüllten, indem sie ihre Brüder nicht verliessen.

Ri 3,23: „Und Ehud ging zum Saal hinaus (waImpf) und tat die Tür des Gemachs hinter sich zu (waImpf) und verriegelte (w^ePerf) sie." Durch w^ePerf wird das Verriegeln der Tür kein gleichgewichtiges neues Moment, sondern eine nähere Beschreibung seiner verschiedenen Massnahmen beim Verschliessen der Tür. Vgl. auch 2.Sam 13,18.

1.Sam 12,2: „Und ich bin alt (Perf) und grau geworden (waPerf)." Die Kopula hat hier ein langes a, was oft in engen Verbindungen vorkommt. Die Aussage ist hier als ein Hendiadyoin zu verstehen.

1.Kön 6,32: „... und liess Schnitzwerk darauf machen (w^ePerf) ... und überzog (w^ePerf) sie mit Gold." Hier wie in V. 35 wird durch w^ePerf das genaue Ausführen einer durch waImpf introduzierten Arbeit beschrieben.

1.Kön 12,32: „So tat er (Perf) in Bethel, dass man den Kälbern opferte (Infinitiv), die er gemacht hatte (Perf), und liess (w^ePerf) in Bethel die Priester der Höhentempel, die er eingerichtet hatte (Perf), den Dienst verrichten." Der Text ist hier, wie auch im Vorhergehenden, ein wenig unsicher, aber wahrscheinlich wird durch w^ePerf das, was schon gesagt wurde, näher ausgeführt. Der Zusammenhang deutet auch eine iterative Bedeutung an.

1.Kön 20,21: „Und der König von Israel zog aus (waImpf) und schlug (waImpf) Rosse und Wagen und brachte Aram eine schwere Niederlage bei (w^ePerf)." Das lezte Glied des Verses sagt nichts Neues, sondern fasst das schon Gesagte zusammen.

1.Kön 20,27: „Und die Kinder Israel ordneten sich (Perf) und versorgten sich (w^ePerf) und zogen (waImpf) ihnen entgegen ...". Das Versorgen wird durch w^ePerf mit der Musterung als Vorbereitung dargestellt, während der Marsch gegen den Feind durch waImpf als neues Moment gekennzeichnet wird.

2.Kön 14,7: „Er schlug (Perf) Edom im Salztal, zehntausend Mann, und gewann (w^ePerf) die Stadt Sela mit Streit und nannte (waImpf) sie Joktheel ...". Die Eroberung von Sela wird als eine Folge des Sieges mit w^ePerf erzält, während die Namengebung als neues Moment mit waImpf dargestellt wird.

2.Kön 14,14: „... und er nahm (w^ePerf) alles Gold und Silber ...". Im Vorhergehenden wird mit waImpf erzählt, wie der König von Israel Juda besiegt und die Mauer von Jerusalem niederreissen lässt. Durch w^ePerf (das zwar textkritisch etwas unsicher ist) würde dann ein konsekutiver oder finaler Sinn angedeutet: die Mauer wurde niedergerissen, damit man die Schätze nehmen könnte.

2.Kön 18,4: „Und er schaffte die Höhen ab (Perf) und zerbrach (w^ePerf) die Säulen und hieb das Ascherabild um (w^ePerf) und zerschlug (w^ePerf) die eherne Schlange ...". Durch w^ePerf werden die Folgen angegeben, die das Abschaffen der Höhen nach sich zog. Das Zerschlagen der ehernen Schlange hätte vielleicht natürlicher als eine einmalige Handlung dargestellt werden können. Hier liegt auch eine abweichende Lesart vor.

2.Kön 18,36: „Und das Volk schwieg (w^ePerf) ...". Der Paralleltext in Jes 36,21 hat waImpf, was natürlicher erscheint. Ein w^ePerf sagt eigentlich, dass das Volk nach dem Befehl des Königs schweigen sollte (vgl. das Folgende), oder dass man die ganze Zeit, während Rab-Sake sprach, geschwiegen hatte.

2.Kön 19,22: „Wen hast du geschmäht (Perf) und gelästert (w^ePerf) ...". Die zwei zusammengestellten Perfektformen geben nicht verschiedene Momente an, sondern bilden ein Hendiadyoin.

2.Kön 21,4: „Und er baute (w^ePerf) Altäre im Hause des Herrn ...". In der Erzählung von Manasses Abgötterei wechseln waImpf und w^ePerf. Dabei ist es oft möglich, w^ePerf als eine nähere Beschreibung des schon Gesagten zu verstehen. Aber der Wechsel kommt zum Teil auch willkürlich vor, und es ist möglich, dass der bisher vermerkte Unterschied zwischen w^ePerf und waImpf hier ein wenig zu schwanken anfängt[78].

2.Kön 23,4: „Und er verbrannte sie (waImpf) ausserhalb Jerusalems ... im Tal Kidron, und er brachte (w^ePerf) ihre Asche nach Bethel." Das Verbrennen und das Transportieren der Asche nach Bethel lassen sich am leichtesten als zwei verschiedene und selbständige Momente des Geschehens verstehen, und man hätte an beiden Stellen ein waImpf erwartet. Das w^ePerf könnte andeuten, dass der König in seinen Massnahmen zur Wiederherstellung des Gottesdienstes einem vorher festgelegten Plan folgte. Aber es liegt näher zu vermuten, dass die frühere Grenze zwischen den Formen nicht mehr so streng aufrecht erhalten wird. Interessant ist die Bemerkung Schneiders[79], dass diese „stilistische Eigentümlichkeit" in z.B. 2.Kön 18 und 23 wohl darauf beruhe, dass diese Texte ursprünglich als amtliche Dokumente in den Tempora der besprechenden Rede abgefasst waren und erst sekundär in die grossen

[78] Hierzu und zum Folgenden vgl. Meyer (1972) 47f. 55.
[79] Schneider (1974) 197.

Erzählwerke eingegliedert wurden. Schneider vermerkt, dass diese Texte fast alle von Ereignissen berichten, die mit dem Gottesdienst und seinen Geräten zu tun haben.

2.Kön 24,14: „Und er deportierte (w^ePerf) das ganze Jerusalem . . .". Ein Präzisieren des vorher Gesagten.

2.Kön 25,29: „Und er durfte seine Gefangenenkleidung ablegen (w^ePerf), und er speiste regelmässig (w^ePerf) an der königlichen Tafel . . .". Die beiden w^ePerf beschreiben den Inhalt der Begnadigung von König Jojachin näher.

b) w^eImpf

Das w^eImpf kommt weniger oft als das w^ePerf vor; die Belegstellen für das w^eImpf machen nur etwa ein Fünftel von denen des w^ePerf aus. Man hat auch das w^eImpf meistens als weniger problematisch empfunden, da dieses anscheinend dieselbe Bedeutung hat wie ein einfaches Impf mit vorangestelltem „und". Das w^eImpf im Alten Testament wurde von Kelly eingehend untersucht[80]. Er hat insgesamt 1287 Beispiele von w^eImpf in der hebräischen Bibel aufgeführt. Ein Vergleich mit der Septuaginta und dem samaritanischen Pentateuch zeigt nur einzelne Abweichungen, und Kelly schliesst, offenbar mit Recht, dass die Texttradition hier im grossen Ganzen zuverlässig sei.

In seiner Klassifizierung der Belegstellen findet Kelly vier verschiedene Verwendungsbereiche, obwohl er gleich vermerkt, dass die Grenzen oft fliessend sind. Ihm zufolge kommt das w^eImpf in folgenden Fällen vor:

1) w^eImpf als „coordinate". Das w^eImpf folgt hier oft einem Voluntativ, und Kelly findet die Übersetzung „and let, and may" meistens passend. Viele von den im Folgenden (unter „Impf und w^eImpf") angeführten Beispielen gehören offensichtlich hierher.

2) w^eImpf als das Resultat bezeichnend. Die Übersetzung ist „then", z.B. Gen 26,3 „Sei ein Fremdling in diesem Land, und ich will mit dir sein".

3) w^eImpf als die Absicht bezeichnend. Die Übersetzung ist „that, so that", z.B. Gen 24,14 „Neige, bitte, deinen Krug, damit ich trinke".

4) w^eImpf in synonymen Sätzen. Eine Sache wird durch Wiederholung unterstrichen. Diese Verwendung kommt besonders oft in poetischem Parallelismus vor.

Kelly hat sicher das w^eImpf gut beschrieben. Es zeigt sich auch, dass das w^eImpf und das Impf an sich denselben Charakter haben. Interessant

---

[80] Kelly (1920).

wird es dann, die Verwendung des *we*Impf durch Vergleich mit dem *we*Perf genauer zu bestimmen. Die Frage muss gestellt werden: Was will der Sprechende dadurch ausdrücken, dass er ein *we*Impf und nicht ein *we*Perf wählt?

Um diese Frage besser beantworten zu können, führen wir als Beispiel einige Stellen an, und zwar beginnen wir mit den zehn Belegstellen des Josuabuches.

Das *we*Impf, demonstriert an den Belegstellen des Josuabuches

Jos 3,13: „Und es wird sein (*we*Perf) wenn die Fussohlen der Priester ... in des Jordans Wasser sich lassen, wird sich das Wasser trennen (Impf), das von oben kommt, und es wird stehenbleiben (*we*Impf) wie ein einziger Damm." Septuaginta und Peschitta haben das „und" weggelassen. Die beiden Imperfektformen bezeichnen zwei Momente, die eintreffen werden.

Jos 4,16: „Befiehl den Priestern, die die Lade des Zeugnisses tragen, dass sie aus dem Jordan heraussteigen (*we*Impf)." Ein *we*Perf hätte hier die Übersetzung ergeben: „damit oder so dass sie heraussteigen; dass sie heraussteigen sollen." Durch das *we*Impf wird der Befehl weniger scharf (das hebräische *ṣiwwa* hat auch einen weiteren Bedeutungsumfang als das deutsche befehlen) und das Agieren der Priester nicht so eng an den Befehl geknüpft. Die beste Übersetzung wäre vielleicht: „Sag den Priestern ... dass sie jetzt heraussteigen können (oder mögen)."

Jos 7,3: „... zwei- oder dreitausend Mann mögen heraufziehen (Impf) und Ai schlagen (*we*Impf)." Der Aufmarsch gegen Ai zielt natürlich auf die Eroberung der Stadt, aber die beiden Wünschen werden hier als gleichgewichtig nebeneinander aufgereiht. Eine *we*Perf hätte die Sache so dargestellt, dass die Eroberung als Befehl oder notwendige Folge an den Aufmarsch geknüpft würde.

Jos 7,8f.: „Israel hat sich vor seinem Feind zur Flucht gewandt (Perf). Und die Kanaanäer ... werden das hören (*we*Impf), und sie werden uns umringen (*we*Perf) ...". Durch ein einfaches Perf wird die Tatsache festgestellt. Das *we*Impf deutet eine Möglichkeit an; das folgende *we*Perf die unausbleiblichen Folgen, wenn diese Möglichkeit eintrifft.

Jos 10,4: „Kommt herauf (Imperativ) zu mir und helft (*we*Imperativ) mir, so wollen wir Gibeon schlagen (*we*Impf)." Hier geht es um die Absicht, die Stadt zu schlagen. Ein *we*Perf würde hier besagen, dass der Redende die volle Initiative den Angeredeten überlassen hätte. Wenn sie nur kämen, wäre der Sieg ein Faktum.

Jos 18,4f.: „Schafft euch (Imperativ) aus jedem Stamm drei Männer, so will ich sie aussenden (w^{e}Impf), und sie sollen sich daran machen (w^{e}Impf), das Land zu durchwandern (w^{e}Impf), und sie sollen es aufschreiben (w^{e}Impf) nach ihren Erbteilen und zu mir zurückkommen (w^{e}Impf). Und sie sollen es teilen (w^{e}Perf) ...". Wenn das Volk die Männer ausersehen hat, will Josua die Männer aussenden. Er schlägt ferner vor, was sie nach seiner Absicht tun sollten. Jedes Moment wird als gleichgewichtig dargestellt. Das w^{e}Perf drückt dagegen die beabsichtigte Folge der durch das w^{e}Impf dargestellten Massnahmen aus.

Diese Beispiele zeigen, wie ein w^{e}Impf genau wie ein einfaches Impf den Verlauf eines Geschehens schildert. Die ganze Sache ist nicht auf einmal da; die neuen Momente werden beschreibend eingeführt. Es liegt auf der Hand, dass das selbständige Agieren des betreffenden Subjekts dabei stärker hervortritt.

Impf und w^{e}Impf

Oft steht ein w^{e}Impf mit einem einfachen Impf zusammen. Sie können dasselbe Subjekt haben und beschreiben dann, wie gleichgewichtige Momente sich weiter entwickeln:

Gen 11,3: „Auf, wir wollen Ziegel streichen (Impf) und brennen (w^{e}Impf).

Gen 11,4: „Wir wollen uns eine Stadt bauen (Impf) ... und wollen uns einen Namen schaffen (w^{e}Impf)."

Gen 11,7: „Auf, wir wollen niederfahren (Impf) und ihre Sprache dort verwirren (w^{e}Impf)."

Gen 12,3: „Und ich will die segnen (w^{e}Impf), die dich segnen, und wer dich verflucht, den will ich verfluchen (Impf)."

Ex 23,8: „Du sollst nicht (Bestechungs)geschenke nehmen (Impf), denn Geschenke mache die Sehenden blind (Impf) und verkehren (w^{e}Impf) die Sachen der Gerechten."

Ex 35,10: „Und wer unter euch verständig ist, der komme (Impf) und mache (w^{e}Impf), was der Herr geboten hat."

Lev 26,43: „Und das Land muss von ihnen verlassen sein (Impf) und ihre Sabbate vergütet erhalten (w^{e}Impf)."

Num 6,24: „Der Herr segne (Impf) dich und behüte (w^{e}Impf) dich ...".

Deut 17,13: „Und das ganze Volk soll es hören (Impf) und sich fürchten (w^{e}Impf) und nicht mehr vermessen sein (Impf)."

Ri 13,8: „Der Gottesmann, den du gesandt hast (Perf), möge er wieder zu uns kommen (Impf) und uns lehren (w^eImpf) was wir tun sollen (Impf)."

Ri 16,20: „Ich will mich wie die vorigen Male freimachen (Impf) und mich losreissen (w^eImpf)."

1.Sam 2,10: „Der Herr richtet (Impf) die Enden der Erde und gibt (w^eImpf) seinem König Macht und erhöht (w^eImpf) das Horn seines Gesalbten."

1.Kön 20,31: „Lasst uns (Impf) Säcke um unsere Lenden tun und Stricke um unseren Kopf und zum König von Israel hinausgehen (w^eImpf)."

2.Kön 2,16: „Es sind unter deinen Knechten fünfzig Männer ... sie möchten hingehen (Impf) und deinen Herrn suchen (w^eImpf)."

2.Kön 5,8: „Er soll doch zu mir kommen (Impf) und soll erfahren (w^eImpf), dass ein Prophet in Israel ist."

Wenn ein neues Subjekt hinzutritt, wird das Verhältnis zwischen den beiden Sätzen dasselbe:

Gen 1,9: „Es sammle sich (Impf) das Wasser unter dem Himmel an einem besonderen Ort, und das Trockene werde sichtbar (w^eImpf)."

Gen 1,26: „Lasst uns Menschen machen (Impf) ... und sie sollen herrschen (w^eImpf) ...".

Gen 9,27: „Gott breite Japheth aus (Impf), und er wohne (w^eImpf) in den Zelten Sems."

Ex 23,12: „Am siebenten Tag sollst du Sabbat halten (Impf), damit dein Ochs und dein Esel ausruhen (Impf) und sich erquicken (w^eImpf) der Sohn deiner Magd und der Fremdling."

Ex 27,20: „Und du sollst den Kindern Israels gebieten (Impf), dass sie zu dir Öl bringen (w^eImpf) ...".

Deut 30,12: „Es ist nicht im Himmel, dass du sagen möchtest: Wer will uns in den Himmel fahren (Impf) und es uns holen (w^eImpf) und uns verkündigen (w^eImpf), dass wir es tun (w^eImpf)? Es ist auch nicht jenseits des Meeres, dass du sagen möchtest: Wer will uns über das Meer fahren (Impf) und es uns holen (w^eImpf) und uns verkündigen (w^eImpf), dass wir es tun (w^eImpf)?"

1.Sam 4,3: „Wir wollen zu uns nehmen (Impf) die Lade des Bundes des Herrn von Silo, und sie soll unter uns kommen (w^eImpf)."

2.Kön 7,12: „Wenn sie aus der Stadt gehen (Impf), wollen wir sie lebendig greifen (w^eImpf) und in die Stadt kommen (Impf)."

Ein w^ePerf hätte in diesen Fällen den folgenden Satz als vom ersten stärker abhängig dargestellt. Der finale oder konsekutive Charakter der Konstruktion wäre dadurch unterstrichen worden sowie auch die relative Unselbständigkeit des folgenden Subjekts. Mit w^eImpf stehen die beiden Sätze als gleichgewichtig da. Oft wäre wohl beide Konstruktionen möglich, z.B. in Gen 1,9, wo ein w^ePerf die Absicht, dass das Trockene sichtbar werden sollte, stärker als eine Folge vom Vorhergehenden hervorgehoben hätte. Das Wassersammeln wäre dann als eine Vorbereitung dazu dargestellt.

c) w^ePerf und w^eImpf

Nicht selten werden mehrere konsekutive Formen nacheinander aufgereiht. Wenn dabei w^ePerf und w^eImpf nebeneinander vorkommen, bietet sich eine gute Möglichkeit, die Funktion der beiden Formen gegenseitig zu bestimmen. Wie aus den folgenden Beispielen hervorgeht, deutet w^ePerf dabei auf einen übergeordneten, regierenden Willen im Vorhergehenden, während w^eImpf eine neue Initiative unterstreicht.

Gen 12,1ff.: „Gehe (Imperativ) aus deinem Land ... und ich will dich zum grossen Volk machen (w^eImpf), und ich will dich segnen (w^eImpf), und ich will dir einen grossen Namen machen (w^eImpf) ... und in dir sollen alle Geschlechter der Erde gesegnet werden (oder: sich segnen; w^ePerf)." Was der Herr mit Abraham tun will, wird durch w^eImpf ausgedrückt. Dadurch wird gesagt, dass die Initiative vom Herrn ausgeht und keine notwendige Folge davon ist, dass Abraham sein Land verlässt. Dagegen wird w^ePerf verwendet, um die Reaktion unter den Völkern der Erde zu beschreiben. Hier geht es nicht um eine neue Initiative von Seiten der Völker, sondern um ihre unfreiwillige, aber unbedingte Reaktion.

Gen 26,3: „Lebe als Fremdling (Imperativ) in diesem Lande, und ich will mit dir sein (w^eImpf), und ich will dich segnen (w^eImpf), denn dir und deinem Samen will ich alle diese Länder geben (Impf), und ich will meinen Eid bestätigen (w^ePerf)." Die göttlichen Verheissungen werden in einem w^ePerf zusammengefasst. Dass Gott seinen Eid hält, ist keine neue Initiative, sondern liegt als eine Folge in dem, was schon gesagt ist.

Gen 27,9f.: Gehe hin (Imperativ) zu der Herde und hole (Imperativ) mir zwei gute Böcklein, dass ich deinem Vater ein Essen davon mache (w^eImpf), wie er es gerne hat. Und du sollst es deinem Vater hineinbringen (w^ePerf), damit er es isst (w^ePerf)."

50

Gen 37,20: „So kommt (Imperativ) nun, wir wollen ihn totschlagen (*w*eImpf) und in eine Grube werfen (*w*eImpf) und sagen (*w*ePerf), ein böses Tier habe ihn gefressen (Perf). Dann werden wir sehen (*w*eImpf), was aus seinen Träumen wird (Impf)." Die Pläne der Brüder werden Schritt für Schritt mit *w*eImpf ausgedrückt. Aber die Erklärung, dass ein böses Tier Joseph gefressen hätte, wird parenthetisch eingeschoben. Sie ist keine Stufe neben den anderen in der Erzählung, sondern ein abhängiger Gedanke, der als eine beabsichtigte Folge vom Vorhergehenden regiert wird: „damit wir sagen können, dass . . .".

Gen 41,34f.: „Pharao möge schaffen (Impf), und er verordne (*w*eImpf) Amtsleute im Lande und nehme (*w*ePerf) den fünften in Ägyptenland in den sieben reichen Jahren. Und sie mögen sammeln (*w*eImpf) alle Speise der guten Jahre, die kommen werden, und sie mögen Getreide sammeln (*w*eImpf) unter der Obhut des Pharao als Vorrat in den Städten und es verwahren (*w*ePerf)." Joseph wünscht eine Reihe von Massnamen von seiten des Pharao, und er drückt dies mit Impf bzw. *w*eImpf aus, da er natürlich dem Pharao nicht vorschreiben kann, was er tun soll. Beim folgenden Steuereinnehmen wird dagegen *w*ePerf verwendet, weil es nur eine nähere Beschreibung dessen ist, was in des Pharao vorhergehendem Beschluss liegt. Die Septuaginta macht durch eine Pluralform des Verbes die Amtsleute zum Subjekt, was auch einen guten Sinn gibt. Es ist nicht notwendig, die Form in ein Impf zu verändern, vgl. Apparat. Die weiteren Aufgaben der Amtsleute sind aber nicht selbstverständlich, sondern verlangen eine neue Initiative (letzten Endes vom Pharao ausgehend), und sie werden also durch *w*eImpf ausgedrückt. Das letzte *w*ePerf gibt an, dass das Verwahren des Getreides eine gegebene Folge des Einsammelns ist.

Ex 2,7: „Soll ich hingehen (Impf) und dir eine Amme von den Hebräerinnen holen (*w*ePerf), damit sie dir den Knaben nährt (*w*eImpf)?"

Ex 12,3f.: „Am zehnten Tag dieses Monats nehme sich (*w*eImpf) jeder ein Lamm . . . Und wenn ein Haus für ein Lamm zu klein ist (Impf), so nehme er (*w*ePerf) und sein Nachbar . . .". Die eigene Initiative wird im ersten Fall durch *w*eImpf unterstrichen. Im zweiten Fall wird durch *w*ePerf markiert, dass die vorgeschriebene Massnahme eine Folge der vorliegenden Umstände ist.

Ex 14,4: „Und ich werde das Herz des Pharao verstocken (*w*ePerf), dass er sie verfolgt (*w*ePerf), und ich will mich am Pharao und an seiner ganzen Heeresmacht verherrlichen (*w*eImpf), damit die Ägypter erkennen (*w*ePerf), dass ich der Herr bin."

Ex 28,27f.: „Und du sollst zwei goldene Ringe machen (w^{e}Perf) und an die beiden Schulterstücke setzen (w^{e}Perf) ... Und sie sollen das Schild darauf knüpfen (w^{e}Impf)."

Ex 33,5: „Ihr seid ein halsstarriges Volk. Wo ich nur einen Augenblick mit dir hinauszöge (Impf), würde ich dich vertilgen (w^{e}Perf). Und nun lege (Imperativ) deinen Schmuck von dir, dass ich wisse (w^{e}Impf), was ich dir tun soll (Impf)." In der ersten Vershälfte zeigt das w^{e}Perf den engen Zusammenhang zwischen Voraussetzung und Folge. Das Vertilgen wäre eine notwendige Folge, wenn der Herr mitginge. In der zweiten Hälfte aber ist der Herr vom Handeln des Volkes nicht abhängig, sondern er wird selbst seine eigene Initiative entfalten.

Num 23,3: (Bileam sprach zu Balak:) „Bleibe du (Imperativ) bei deinem Brandopfer stehen; ich will hingehen (w^{e}Impf); vielleicht kommt (Impf) mir der Herr entgegen, und was er mir offenbart (Impf), das will ich dir kundtun (w^{e}Perf)." Durch w^{e}Impf wird Bileams eigene Initiative ausgedrückt. Das folgende w^{e}Perf unterstreicht, dass er nur mechanisch wiedergeben wird, was ihm der Herr offenbart.

Num 23,19: „Gott ist nicht ein Mensch, dass er lüge (w^{e}Impf), noch ein Menschenkind, dass ihn etwas gereue (w^{e}Impf). Sollte er etwas sagen (Perf) und es nicht ausführen (Impf)? Sollte er etwas verheissen (w^{e}Perf) und es nicht erfüllen (Impf)?" In der Poesie spielt auch der Parallelismus beim Wechsel der Formen mit hinein.

Deut 21,21: „Und alle Leute der Stadt sollen ihn steinigen (w^{e}Perf), dass er sterbe (w^{e}Perf). Und du sollst das Böse von dir tun (w^{e}Perf), und ganz Israel soll das hören (Impf) und sich fürchten (w^{e}Impf)." Die unmittelbaren Vorschriften werden mit w^{e}Perf aufgereiht; das erwünschte Ziel wird aber durch w^{e}Impf ausgedrückt.

Ri 1,3: „Zieh mit mir hinauf (Imperativ) in mein Los und lass uns wider die Kanaanäer streiten (w^{e}Impf), so will ich auch mit dir ziehen (w^{e}Perf) in dein Los."

Ri 11,37: „Und ich will gehen (w^{e}Impf), und ich will hinabsteigen (w^{e}Perf) auf die Berge, und ich will weinen (w^{e}Impf) ...". Die beiden ersten Formen gehören zusammen (und werden natürlicher mit einem zusammenfassenden Ausdruck übersetzt). Hier entwickelt das w^{e}Perf nur die im Vorhergehenden liegende Intention. Das letzte w^{e}Impf drückt dagegen eine weitere und neue Initiative aus.

Ri 19,9: „Bleibe hier über Nacht (Imperativ) und lass dein Herz guter Dinge sein (w^{e}Impf). Morgen steht ihr früh auf (w^{e}Perf), und du gehst

(wePerf) ...". Wenn der Gast sich dazu entschliesst zu bleiben, folgt daraus, dass er am nächsten Morgen weiterziehen wird.

1.Sam 11,3: „Gib (Imperativ) uns sieben Tage, und wir wollen Boten senden (weImpf) in alle Teile Israels. Und wenn uns niemand hilft (Partizip), so wollen wir zu dir hinausgehen (wePerf)." Mit weImpf wird geschildert, wie das Volk handelt, um Hilfe zu bekommen. Das folgende wePerf drückt das Handeln unter Zwang aus. Das Volk wird von den vorliegenden Umständen gezwungen, sich dem Eroberer zu ergeben.

1.Sam 17,46: „Heute wird dich der Herr in meine Hand fallen lassen (Impf), und ich werde dich erschlagen (wePerf), und ich werde deinen Kopf von dir nehmen (wePerf), und ich werde heute die Leiche des Philisterheeres den Vögeln des Himmels und den wilden Tieren des Landes übergeben (wePerf), und alle Welt wird erkennen (weImpf), dass Israel einen Gott hat." Dass David Goliath erschlagen wird, liegt schon darin, dass Gott den Philister in seine Hand gegeben hat. Die Folgen davon werden mit wePerf näher entwickelt. Aber die letzte Folge, dass alle Welt dadurch Israels Gott erkennen wird, wird durch weImpf als ein neues Geschehen dargestellt, das nicht unbedingt aus dem Vorhergehenden folgt. David drückt abschliessend einen neuen und übergreifenden Wunsch aus.

1.Sam 24,16: „Der Herr wird Richter sein (wePerf), und er wird zwischen mir und dir entscheiden (wePerf). Er möge sehen (weImpf) und meine Sache führen (weImpf) und mich von deiner Hand retten (weImpf)."

2.Sam 3,21: „Und Abner sprach (waImpf) zu David: Ich will mich aufmachen (Impf) und hingehen (weImpf) und das ganze Israel zu meinem Herrn, dem König, sammeln (weImpf), damit sie einen Bund mit dir machen (weImpf), und so wirst du König sein (wePerf)."

2.Sam 17,1ff.: „Und Ahitophel sprach (waImpf) zu Absalom: Ich will zwölftausend Mann auswählen (Impf) und mich aufmachen (weImpf) und David nachjagen (weImpf) in dieser Nacht. Und ich will ihn überfallen (weImpf), während er matt und mutlos ist, sodass ich ihn erschrecke (wePerf) und alles Volk, das bei ihm ist, flieht (wePerf), damit ich den König allein schlage (wePerf), und ich will alles Volk wieder zu dir bringen (weImpf)." Mit weImpf werden die verschiedenen Momente in Ahitophels Plan entwickelt, das was er tun will. Die besonderen Folgen und das Ziel des Überfalles werden mit wePerf näher beschrieben.

1.Kön 1,2: „Man sollte für den König, meinen Herrn, ein jungfräuliches Mädchen suchen (Impf), die vor dem König stehe (wePerf) und ihm zur Pflegerin werde (weImpf) und schlafe (wePerf) in deinen Armen, damit

der Herr, mein König, warm werde (w^ePerf)." Mit w^ePerf wird das ausgedrückt, was im festgestellten Beschluss liegt: man sucht das Mädchen,
und damit ist auch gesagt, dass sie vor dem König stehen soll. Dass sie
dann auch als Pflegerin angenommen wird, ist damit aber nicht gesagt;
dafür ist eine neue Entscheidung des Königs nötig, und dies wird also
folgerichtig durch w^eImpf ausgedrückt. Aber wenn sich der König für
das Mädchen entschieden hat, muss (mit Rücksicht auf die vorhergehende Rede der Diener) in diesem Beschluss enthalten sein, dass sie
in seinen Armen schlafen soll, also w^ePerf. Die eingeschobenen w^ePerf
entsprechen gern unseren Relativsätzen: „Man sollte ein Mädchen suchen,
die vor dem König stehen soll. Und sie sollte zu einer Pflegerin werden,
die in deinen Armen schläft. So wird der König warm."

1.Kön 8,27f.: „Der Himmel und aller Himmel Himmel können dich nicht
fassen (Impf); wie sollte es denn dies Haus tun, das ich gebaut habe
(Perf)? Wende dich (w^ePerf) aber zum Gebet deines Knechtes ...". Hier
wie im Folgenden wird in Salomos Gebet w^ePerf verwendet, um Gottes
Gebetserhörung zu schildern. Das Ganze wird dadurch enger zusammengefasst und vielleicht auch mit dem Davidsbund (V. 23) verknüpft. In
V. 59 wird das Gebet mit einem w^eImpf abgeschlossen: „Und mögen
(w^eImpf) diese meine Worte, mit denen ich den Herrn angefleht habe
(Perf) ...". Am Anfang und Ende liegt die Initiative bei Gott, aber im
dazwischen liegenden Gebet wird (mit w^ePerf) beschrieben, was dies kon-
kret bedeutet.

1.Kön 11,38f.: „Wenn du hörst (Impf) alles was ich dir gebiete (Impf)
und auf meinen Wegen wandelst (w^ePerf) und das tust (w^ePerf), was mir
wohlgefällt durch Beobachten meiner Satzungen und meiner Gebote, wie
mein Knecht David es getan hat (Perf), so werde ich mit dir sein (w^ePerf)
und dir ein beständiges Haus bauen (w^ePerf), wie ich David gebaut habe
(Perf), und ich übergebe (w^ePerf) dir Israel. Und ich will um deswillen
Davids Nachkommenschaft demütigen (w^eImpf)." Gott verspricht in
w^ePerf mit Jerobeam zu sein, weil dies vom Wandel Jerobeams abhängig
ist. Die Demütigung des Hauses Davids ist aber nicht vom Gehorsam
Jerobeams abhängig, sondern unabhängig davon von Gott geplant, also
w^eImpf.

1.Kön 14,15f.: „Und der Herr wird Israel schlagen (w^ePerf), wie ein Rohr
im Wasser bewegt wird (Impf), und wird Israel ausreissen (w^ePerf) aus
diesem guten Lande, das er ihren Vätern gegeben hat (Perf), und wird
sie zerstreuen (w^ePerf) jenseits des Stromes, darum dass sie ihre Ascherabilder gemacht haben (Perf), den Herrn zu erzürnen. Ja, er wird Israel
dahingeben (w^eImpf) um der Sünden Jerobeams willen ...". Eine längere

Rede mit *we*Perf wird gern mit einem *we*Impf abgeschlossen, um den eigentlichen Willen des Redenden abschliessend zusammenzufassen. Da das *we*Impf hier in der 3. Person steht, kann es den Wunsch des sprechenden Propheten ausdrücken: „Ja, er möge Israel dahingeben", oder der Prophet will aussagen, was der Herr wirklich im Sinne hat zu tun.

1.Kön 18,10: „So wahr der Herr, dein Gott, lebt, es ist kein Volk und kein Königreich, wohin mein Herr nicht gesandt hat (Perf), dich zu suchen. Und wenn sie sprachen (*we*Perf): Er ist nicht hier, so nahm er einen Eid (*we*Perf) vom Königreich und Volk, dass man dich nicht gefunden hätte (Impf)." Die beiden *we*Perf sind vom Vorhergehenden abhängig und beschreiben näher, wie das Suchen vorsichging. Das Perf kann hier iterative Bedeutung haben. Die letzte Verbform ist ein einfaches Impf. Ein Perf würde hier konstatieren, dass man ihn nicht gefunden hätte. Ein Impf unterstreicht die Aktivität des Suchenden, ohne besonders auf das Ergebnis zu verweisen. Vgl. den Unterschied zwischen „habe nicht gefunden" und „habe nicht finden können".

1.Kön 21,10: „Und setzt (Imperativ) zwei böse Männer ihm gegenüber, und sie sollen gegen ihn Zeugnis ablegen (*we*Impf) und sagen: Du hast Gott und König gelästert (Perf). Und sie sollen ihn hinausführen (*we*Perf) und ihn steinigen (*we*Perf), und er soll sterben (*we*Impf)." Das erste *we*Impf zeigt, dass das Zeugnisablegen nicht unmittelbar aus dem Vorhergehenden folgt. Dass die bösen Männer eben diese vorgeschriebene Lüge sagen sollten, ist der Inhalt eines Wunsches und verlangt eine Initiative von ihrer Seite (oder von seiten derer, die ihnen das Wort in den Mund legen sollten). Das abschliessende *we*Impf sticht von den beiden vorhergehenden *we*Perf ab. Ein Todesurteil wird in der Rechtssprache oft mit der Formel *mot jumat* ausgesprochen. An der vorliegenden Stelle wird aber nur ein Impf (ohne Infinitiv) und zwar im Qal verwendet. Eine *we*Perf in der Bedeutung „und er stirbt, und er wird oder soll sterben" ist sehr häufig. Es kann die Bedeutung haben, „so dass er stirbt" (Gen 19,19); „dann würde er sterben" (Gen 44,22); „und er soll oder wird sterben" (Gen 44,9 Ex 11,4f. Num 20,26). Aber ein *we*Perf kann auch das vorgeschriebene Todesurteil abschliessend ausdrücken, Deut 13,11 und öfters. Ein *we*Impf in dieser Bedeutung liegt noch in Ri 6,30 vor: „Gib deinen Sohn heraus (Imperativ); er muss sterben (*we*Impf), weil er den Altar Baals niedergerissen hat (Perf)." Der Unterschied zwischen einem *we*Perf und einem *we*Impf in diesem Zusammenhang dürfte sein, dass das *we*Perf das Todesurteil als eine gegebene und notwendige Folge von aussen her konstatiert und auch feststellt, während ein *we*Impf den Tod des Betreffenden als etwas erwünschtes unterstreicht. Denselben Charakter eines formalen Todesurteils wie *mot jumat*

(„der ist dem Tode verfallen")[81] hat das Qal Impf anscheinend nicht.

2.Kön 5,10: „Da sandte (waImpf) Elia einen Boten zu ihm und liess ihm sagen: Gehe hin (Infinitiv) und wasche dich (w^{e}Perf) siebenmal im Jordan, dann wird dir dein Leib wieder gesund werden (w^{e}Impf) und wird rein werden (w^{e}Perf)." Die Perfektformen entwickeln das Vorhergehende näher, während das w^{e}Impf dagegen das Geschehen als selbständig und vom Vorhergehenden nicht unmittelbar abhängig von innen her beschreibt.

2.Kön 19,24: „Ich habe gegraben (Perf) und aufgetrunken (w^{e}Perf) die fremden Wasser und werde austrocknen (w^{e}Impf) mit meinen Fussohlen alle Flüsse Ägyptens." Mit w^{e}Perf wird eine konsekutive Folge ausgedrückt. Das folgende w^{e}Impf führt einen neuen Gedanken ein und beschreibt die weiteren Pläne des grossen Königs. (Die Form braucht also nicht zu waImpf geändert zu werden.) Es ist aber dabei zu bemerken, dass es sich hier um einen poetischen Text handelt, und ausserdem, dass das Hebräische nicht so genau wie wir zwischen dem, was geschehen ist, und dem, das noch in der Zukunft liegt, unterscheidet. Vielleicht drückt man in unseren Sprachen den ganzen Satz am besten mit einem Präsens aus.

w^{e}Perf und w^{e}Impf in der 1., 2. und 3. Person

Die Verteilung der Belegstellen auf verschiedene Personen ist von gewissem Interesse. Die gesamten w^{e}Perf und w^{e}Impf in den alttstamentlichen Schriften verteilen sich hier wie folgt:

	1. Person	2. Person	3. Person	Insgesamt
w^{e}Perf	1139	1538	3649	6326
w^{e}Impf	525	59	756	1340
				7666

Diese Verteilung auf verschiedene Personen hängt natürlich unmittelbar vom Inhalt der betreffenden Texte ab. Interessant ist aber die Wahl des w^{e}Perf bzw. des w^{e}Impf in den verschiedenen Personen. Es fällt auf, dass das w^{e}Impf, relativ gesehen, in der 1. Person häufiger vorkommt. Hier wird in etwa einem Drittel der Belegstellen w^{e}Impf verwendet, während in der 2. Person das w^{e}Impf nur spärlich vorkommt. Der Grund dafür muss in der Bedeutung des w^{e}Perf und des w^{e}Impf liegen. Durch

[81] H.Schultz (1969) 84.

die Wahl des w^eImpf in der 1. Person betont der Sprechende die eigene Initiative, während ein w^ePerf hier die Handlung als eine notwendige Folge der vorliegenden Umstände darstellt. Dadurch wird auch klar, warum w^ePerf in der 2. Person in den allermeisten Fällen verwendet wird. In der 3. Person zeigen die beiden Formen ein relatives Gleichgewicht.

Von den 59 Belegstellen für w^eImpf in der 2. Person finden sich nur 3 im Pentateuch oder im deuteronomistischen Geschichtswerk:

Ex 15,17: „Du bringst sie hinein (Impf) und pflanzest sie (w^eImpf) auf dem Berge deines Erbteils ...".

Ex 19,3: „So sollst du sagen (Impf) zu dem Hause Jakob und verkündigen (w^eImpf) den Kindern Israel."

2.Kön 19,25 (= Jes 37,26): „Nun habe ich es kommen lassen (Perf), dass du feste Städte zu wüsten Steinhaufen verheeren solltest (w^eImpf)."

In den beiden ersten Stellen stehen Impf und w^eImpf in poetischem Parallelismus. In 2.Kön 19,25 hat der Herr das Geschehen zwar zugelassen, aber die Verwüstung wird durch das w^eImpf der Aktivität des verheerenden Feindes zugeschrieben.

Von den übrigen Belegstellen für w^eImpf in der 2. Person weisen die meisten ein Impf + w^eImpf in poetischem Parallelismus auf. Siehe Jes 1,29 43,10, 46,5 58,9f. Jer 50,11, 51,46 Hes 24,27 32,28 Mi 6,14 Ps 31,4 65,5 71,2 71,21 104,30 Hiob 6,27 7,21 10,16f. 13,24, 13,26f. 14,13 15,4f. 15,8 19,2 19,5f. 22,26ff. 30,22 39,11 40,29 Klag 3,66 Dan 9,25 (am Anfang eines neuen Abschnittes).

Das w^eImpf in der 2. Person kann auch in anderen Konstruktionen auftreten, wie in Jes 12,1: „Ich danke dir (Impf), Herr, denn du bist gegen mich erzürnt gewesen (Perf), aber dein Zorn wendet sich (*jašob*, Impf) und du tröstest mich (w^eImpf)." Im Apparat wird für *jašob* waImpf oder Perf vorgeschlagen. Aber hier kontrastieren die Tempora inhaltlich miteinander. Impf bzw. w^eImpf betonen hier gerade die göttliche Aktivität. Eine ähnliche Konstruktion liegt auch in Neh 9,28 vor. Vgl. auch 2.Chr 20,9. Unter den Propheten siehe ferner Jes 38,16 Jer 6,27 48,6 Hes 26,21 Mi 7,19.

Im Psalter stehen auch ein Impf und ein w^eImpf mit Personenwechsel, z.B. 5,12 „... ewiglich werden sie jubeln (Impf), denn du beschirmst (w^eImpf) sie"; 7,10 „Es möge der Gottlosen Bosheit ein Ende werden (Impf), und du möchtest dem Gerechten zu festem Stand helfen (w^eImpf)". Siehe auch 2,12 und 50,15. In 144,5 folgt zweimal ein w^eImpf einem Imperativ. Vgl. dazu Dan 12,13 und 2.Chr 20,20.

*w*ePerf und *w*eImpf nach Imperativ

Die einem *w*ePerf oder einem *w*eImpf vorangehende Form ist oft ein Imperativ. Da die Formen nicht immer in unmittelbarer Verbindung miteinander stehen und oft andere Formen dazwischen eingeschoben werden, ist es nicht immer klar, wie die Anzahl dieser Belegstellen begrenzt werden soll. Von besonderem Interesse ist aber der Unterschied zwischen *w*ePerf und *w*eImpf nach einem Imperativ. Das Vorkommen verteilt sich wie folgt:

	Imperativ +					
	*w*ePerf in			*w*eImpf in		
	1. Person	2. Person	3. Person	1. Person	2. Person	3. Person
Pentateuch und deuteronomistisches Geschichtswerk	10	123	20	126	—	99
Übrige Schriften	4	71	9	203	3	171

Es ist deutlich, dass die erzählenden Schriften eine grössere Anzahl von *w*ePerf aufweisen und die poetischen und prophetischen Schriften ihrerseits in bezug auf *w*eImpf überwiegen. Ferner überwiegt durchweg bei *w*ePerf die 2. Person und bei *w*eImpf die 1. und 3. Person. Bei einem Befehl ist es natürlich, die 2. Person mit *w*ePerf weiter anzureden, da die selbständige Initiative des Angeredeten hier kaum hervortritt. Bei der 1. und 3. Person dagegen geschieht nach dem Imperativ (der ja in der 2. Person spricht) ein Personenwechsel, und eine neue Initiative wird oft vorausgesetzt.

Bei der 1. Person ist in den allermeisten Fällen die dem Imperativ folgende Form ein *w*eImpf, z.B. in der häufigen Konstruktion „Kommt, lasst uns . . .". Andere Beispiele:

Gen 13,9: „Trenne dich (Imperativ) lieber von mir! Wenn links, so gehe ich rechts (*w*eImpf), und wenn rechts, so gehe ich links (*w*eImpf)." Abraham betont durch das *w*eImpf (und zwar in voluntativer Form), dass er aus seinem eigenen Willen heraus handelt.

Gen 17,1f.: „Wandle (Imperativ) vor mir und sei (Imperativ) unsträflich! Und ich will einen Bund zwischen mir und dir stiften (*w*eImpf), und ich will dich überaus zahlreich werden lassen (*w*eImpf)." Gottes Verheissungen werden von ihm selbst aus versprochen und sind nicht etwa die notwendige Folge von Abrahams Wandel.

Num 9,8: „Mose sprach zu ihnen: Wartet (Imperativ), ich will hören (w^{e}Impf), was der Herr um euretwillen anordnet." Was Mose tun will, geht von ihm selbst aus. Das Volk bereitet ihm zwar die Möglichkeit zu hören, und es wartet vielleicht sogar, damit er hören soll, aber das Handeln Moses ist keine unselbständige Folge vom Warten des Volkes.

In einigen Einzelfällen tritt die 1. Person nach Imperativ in einem w^{e}Perf auf:

Ex 34,1: „Haue (Imperativ) dir zwei steinerne Tafeln, wie die ersten waren, dass ich die Worte darauf schreibe (w^{e}Perf) ...".

Num 10,29: „Komm (Imperativ) mit uns, damit wir dir Gutes tun (w^{e}Perf)."

Num 22,8: „Bleibt (Imperativ) hier über Nacht, damit ich euch Bescheid geben kann (w^{e}Perf)." Vgl. Num 9,8 oben. Hier betont Bileam, dass er vom Handeln der Boten abhängig sei.

Ri 1,24: „Zeige (Imperativ) uns doch einen Zugang in die Stadt, so werden wir Barmherzigkeit an dir tun (w^{e}Perf)."

1.Sam 14,9f.: „Wenn sie zu uns sagen: Steht still (Imperativ), bis wir zu euch hinkommen (Perf), so wollen wir auf unserem Platz stehenbleiben (w^{e}Perf) ... Wenn sie aber zu uns sagen: Kommt (Imperativ) zu uns herauf, so wollen wir hinaufsteigen (w^{e}Perf)."

1.Sam 15,30: (Saul sagte:) „Ich habe gesündigt (Perf); ehre (Imperativ) mich doch vor den Ältesten meines Volkes und vor Israel, und kehre mit mir um (Imperativ), dass ich den Herrn, deinen Gott, anbete (w^{e}Perf)." Kurz zuvor, in V. 25, hat Saul dieselbe Bitte an Samuel gerichtet, damals aber mit w^{e}Impf: „Und kehre mit mir um (w^{e}Imperativ), so will ich den Herrn anbeten (w^{e}Impf)." In V. 30 tritt Saul selbst zurück und unterstreicht, dass er Samuel die Initiative überlasse.

2.Sam 13,28: „Seht darauf (Imperativ), wenn Amnon vom Wein in fröhliche Stimmung versetzt ist, und ich sage (w^{e}Perf) euch: Haut Amnon nieder (Imperativ), so tötet (w^{e}Perf) ihn." Das zweite w^{e}Perf steht in der 2. Person und entwickelt den Befehl näher. Das erste w^{e}Perf ist wegen der eingeschobenen Worte nicht unmittelbar vom Imperativ abhängig.

2.Sam 14,30: „Geht hin (Imperativ) und steckt es mit Feuer an." Die letzte Form ist nach Qere ein zweiter Imperativ; nach Ketib ein w^{e}Perf in der 1. Person: „und ich werde es mit Feuer anstecken."

2.Sam 24,2: „Gehe umher (Imperativ) ... und zähle (w^{e}Imperativ) das Volk, damit ich die Zahl des Volkes erfahre (w^{e}Perf)."

Vgl. auch Jes 8.16f. Jer 7,23 42,20 1.Chr 14,10.

Ein *we*Perf in der 1. Person nach einem Imperativ lässt offenbar die Initiative des Redenden in den Hintergrund treten. Durch den Imperativ verlangt er, dass der Angeredete etwas tun soll. Was er selbst daraufhin tun will, wird durch *we*Perf als eine notwendige Folge dargestellt.

In der 2. Person wird fast durchweg *we*Perf nach einem Imperativ verwendet. Oft kommt auch *we*Perf in der 2. Person selbständig als Ausdruck eines Befehls vor, z.B. in den vielen Vorschriften in den Gesetzkorpora. Im Pentateuch und im deuteronomistischen Geschichtswerk liegt, soweit ich sehen kann, kein Beispiel für *we*Impf in der 2. Person nach einem Imperativ vor. In den übrigen Schriften habe ich drei Stellen gefunden:

Jer 48,6: „Fliehet (Imperativ), rettet (Imperativ) euer Leben, und ihr werdet sein (*we*Impf) wie ein Strauch in der Wüste." Die Form ist unsicher; vgl. Apparat.

Ps 144,5: „Herr, neige (Imperativ) deine Himmel und fahre herab (*we*Impf); rühre die Berge an (Imperativ), dass sie rauchen (*we*Impf)." Hier kann der Parallelismus mitspielen.

2.Chr 20,20: „Glaubet (Imperativ) an den Herrn, euren Gott, so werdet ihr sicher sein (*we*Impf); glaubet (Imperativ) seinen Propheten, so werdet ihr Glück haben (Imperativ)." Vielleicht ist die Form von Jes 7,9 abhängig, obwohl die Konstruktion geändert wurde.

In der 3. Person ist *we*Impf wieder die übliche Form nach einem Imperativ. Es liegt näher, dass derjenige, von dem man wünscht, dass er etwas ausrichten soll, in *we*Impf erwähnt wird:

Ex 7,16: „Lass mein Volk ziehen (Imperativ), damit es mir in der Wüste diene (*we*Impf)." Die Anbetung ist eine Initiative des Volkes, und nicht an sich die Folge des Loslassens (oder die Absicht des Pharao, wenn er das Volk hätte gehen lassen).

Num 21,7: „Bitte (Imperativ) den Herrn, dass er die Schlangen von uns nehme (*we*Impf)." Ein *we*Perf hätte dem Herrn vorgeschrieben, was er tun sollte, oder es hätte das Wegnehmen der Schlangen als gesichert festgestellt.

Deut 10,11: „Mache dich auf (Imperativ), gehe hin (Imperativ) beim Aufbruch an der Spitze des Volkes, damit sie hereinkommen (*we*Impf) und das Land in Besitz nehmen (*we*Impf)."

1.Sam 9,27: „Samuel sprach zu Saul: Sage (Imperativ) dem Knecht, dass er uns vorangehe (*we*Impf)."

Durch das w^eImpf drückt hier der Redende einen Wunsch aus, dass jemand etwas tun möchte, oder dass man ihm die Möglichkeit geben sollte, etwas durchzuführen. Eine zweite Initiative wird irgendwo vorausgesetzt.

Ein w^ePerf in der 3. Person nach einem Imperativ liegt an einer Reihe von Stellen vor. Oft handelt es sich um eine Form des Verbs *haja*: Ex 8,12 Num 3,45 7,5 10,2 16,7 21,8 Jos 3,13 Ri 4,20 9,33 1.Sam 3,9. Durch das w^ePerf hebt der Sprechende den Befehl stärker hervor, und das Agieren oder die Initiative des zweiten Subjekts tritt in den Hintergrund:

Ex 9,8: „Nehmt (Imperativ) euch euren beiden Hände voll Ofenruss, und Mose soll ihn vor den Augen des Pharao himmelwärts streuen (w^ePerf)."

Lev 24,14: „Führe (Imperativ) den Lästerer vor das Lager hinaus, und alle, die es gehört haben, sollen ihre Hände auf seinen Kopf legen (w^ePerf)."

Num 4,19: „Tut (Imperativ) folgendes für sie, damit sie am Leben bleiben (w^ePerf) und nicht sterben (Impf)."

Num 8,7: „Sprenge (Imperativ) auf sie Sündwasser, und sie sollen ein Schermesser über ihren ganzen Leib gehen lassen (w^ePerf)."

Num 35,2: „Gebiete (Imperativ) den Kindern Israel, dass sie den Leviten Städte geben (w^ePerf)." Vgl. Lev 24,2: „Gebiete (Imperativ) den Kindern Israel, dass sie zur dir Öl bringen (w^eImpf)." Nach dem Verb *ṣiwwa* „anordnen, bestellen, befehlen" in der gleichen Konstruktion werden hier das erste Mal w^ePerf und das zweite Mal w^eImpf verwendet. Der inhaltliche Unterschied ist offenbar, dass es beim Übergeben der Städte an die Leviten um einen inhaltlich klar bestimmten Befehl geht. Anzahl und Erstreckung der Städte werden genau bestimmt, und die Israeliten haben nur Gehorsam zu leisten. Beim Ölspenden sind die Umstände anders. Es wird zwar vom Volk verlangt, dass es Öl bringen soll, aber die Initiative bei der Durchführung wird dem Volk überlassen. Vgl. auch Ex 27,20.

2.Sam 13,5: „Lege dich (Imperativ) auf dein Bett und stelle dich krank (Imperativ). Dann wird dein Vater kommen (w^ePerf) . . .".

2.Sam 16,21: „Gehe ein (Imperativ) zu den Kebsweibern deines Vaters . . . Das wird das ganze Israel hören (w^ePerf) . . .".

1.Kön 22,6: „Zieh hinauf (Imperativ)! Der Herr wird es in die Hand des Königs geben (w^eImpf)." In V. 12 wiederholen alle Propheten: „Zieh hinauf (Imperativ) nach Ramoth in Gilead, und es gelinge dir (Imperativ), und der Herr wird es in die Hand des Königs geben (w^ePerf)." In V. 15 wiederholt der Prophet Micha dieselbe Weissagung, auch mit

w^ePerf, aber in der Parallelerzählung in 2.Chr 18,14 tritt dafür ein w^eImpf ein: „Ziehet hinauf (Imperativ) . . . und sie werden in eure Hände gegeben werden (w^eImpf)." Möglicherweise will der Chronist den Worten im Munde Michas ein weniger kategorisches Gepräge geben.

Vgl. auch Jes 8,10 Jer 48,26 50,5 Hes 20,20 43,10 Hiob 22,25 Spr 27,11 Ruth 3,13 2.Chr 18,11.

w^ePerf und w^eImpf von *haja*

Unter den hebräischen Verben nimmt in bezug auf die Bedeutung der konsekutiven Formen das Verb *haja* eine Sonderstellung ein. Wie Ogden in seiner Untersuchung gezeigt hat[82], finden wir hier einen Anfang zeit-relatierter Formen, wie sie in unseren europäischen Sprachen üblich sind. Die Formen treten nicht selten selbständig auf. Ebenso wie *wajhi* dabei eine narrative Bedeutung der Vergangenheit erhält: „und es geschah, und es wurde", tritt *w^ehaja* als Futur auf: „und es wird (geschehen)". Der konsekutive Charakter von *w^ehaja* wird dabei oft sehr schwach, indem die Verbindung mit dem Vorhergehenden nicht immer beibehalten wird, z.B. Jos 3,12f.: „So nehmt (Imperativ) euch nun zwölf Männer . . . Und es wird geschehen (*w^ehaja*), wenn die Fussohlen der Priester . . .".

Die Bedeutung von *w^ehaja* ist allerdings nicht immer futural. Die beim w^ePerf vorliegenden anderen Übersetzungsmöglichkeiten gibt es auch hier, z.B. die iterative Bedeutung, die in den folgenden Beispielen wohl am nächsten liegt:

Gen 30,41f.: „Und es geschah (*w^ehaja*) bei der Brunst des kräftigen Kleinviehs, dass Jakob die Stäbe in die Rinnen vor die Augen der Herde legte (w^ePerf) . . . Wenn dagegen die Tiere schwächlich waren, stellte er sie nicht hin (Impf). So (*w^ehaja*) das Schwache Labans und das Kräftige Jakobs."

Ri 12,5: „Und die Gileaditer besetzten (*wa*Impf) die Furten des Jordans vor Ephraim. Und es geschah (*w^ehaja*), wenn die Flüchtlinge Ephraims sagten . . .".

1.Sam 1,12: „Und es geschah (*w^ehaja*), da sie lange betete . . .". Im Apparat wird der Text zu *wajhi* geändert. Das w^ePerf kann jedoch hier eine iterative oder eine vorbereitende Funktion haben im Verhältnis zu dem, was im Folgenden mit *wa*Impf erzählt wird.

Num 21,8f.: „Der Herr sprach (*wa*Impf) zu Mose: Mache (Imperativ)

---

[82] Ogden (1971).

dir eine eherne Schlange und befestige (*w^e*Imperativ) sie an einer Stange, und es soll geschehen (*w^ehaja*), dass jeder, der gebissen ist, sie anschaut (*w^e*Perf) und lebt (*w^e*Perf). Und Mose machte (*wa*Impf) eine eherne Schlange und befestigte sie (*wa*Impf) an der Stange. Und es geschah (*w^e*Perf), wenn eine Schlange einen Mann gebissen hatte (Perf), schaute er (*w^e*Perf) die eherne Schlange an und lebte (*w^e*Perf)." Das erste *w^ehaja* ist final; das zweite wird am besten als iterativ verstanden. Die ganze Darstellung hat dazu einen konsekutiven Charakter, der sich nicht ohne weiteres dem Zeitdenken der europäischen Sprachen anpassen lässt.

In einigen Fällen scheint der Text unsicher zu sein, z.B. Gen 38,5: „Und sie gebar *(wa*Impf) einen Sohn und nannte (*wa*Impf) ihn Sela. Und er war (*w^ehaja*) in Chesib, als sie ihn gebar." Die Form ist im Zusammenhang schwer verständlich, und die Lesart der Septuaginta (αὐτὴ δὲ ἦν = *w^ehi*") ist vorzuziehen. In Ex 7,19 „und es sei (*w^ejihju*) Blut, und es soll Blut werden (*w^ehaja*) in ganz Ägyptenland" sind die wiederholten Formen verdächtig. Der Samaritanus hat auch im zweiten Fall *w^e*Impf. Es ist jedoch nicht unmöglich, den masoretischen Text konsekutiv zu verstehen. In 2.Sam 6,16 heisst es, nachdem im Vorhergehenden erzählt wurde, wie David und ganz Israel die Lade mit Jauchzen und Posaunen heraufführen: „Und es geschah (*w^ehaja*) als die Lade des Herrn in die Stadt Davids kam (Perf oder Partizip), und Michal, Sauls Tochter, guckte (Perf) durchs Fenster . . .". Der Paralleltext in 1.Chr 15,29 hat an Stelle von *w^ehaja* das *wa*Impf, *wajhi*. Das *w^e*Perf kann hier jedoch den Charakter vorbereitender Beschreibung haben, vgl. Plusquamperfekt.

Das *w^e*Impf vom Verb *haja* kommt weniger oft vor. In den meisten Fällen drückt es einen Wunsch aus, z.B. Gen 1,6: „Es werde (*j^ehi*) eine Feste zwischen den Wassern, und die sei (*wijhi*) eine Scheidewand zwischen den Wassern." Der Unterschied zwischen *w^e*Impf und *w^e*Perf zeigt sich auch hier: Gen 26,3 „Wohne als Fremdling (Imperativ) in diesem Land, und ich will mit dir sein (*w^{e>}'ähjä*) . . .'"; (Gen 47,19 „Kaufe (Imperativ) uns und unser Land um Brot, und wir wollen leibeigen sein (*w^enihjä*)". Das *w^e*Impf betont hier die Freiwilligkeit des Redenden. Ein *w^e*Perf hätte des Geschehen nur als eine notwendige Folge festgestellt. Der Unterschied ist oft nicht so gross, z.B. in Ex 26,24f.: „die Bretter) sollen vollständig sein (*w^ejihju*) . . . und es sollen acht Bretter sein (*w^ehaju*) . . .". In den langen Reihen von Vorschriften wird fast durchweg *w^e*Perf verwendet. Das *w^e*Impf wird auch hier von acht Handschriften durch ein *w^e*Perf ersetzt. Ein Impf würde eher „mögen" als „sollen" andeuten. Vgl. auch 1.Sam 10,5 „Darnach wirst du zu Gottes Gibea kommen (Impf), wo der Vogt der Philister ist, und es wird sein (*wijhi*) wenn du in die Stadt gehst . . ." und 2.Sam 5,23f. „und du sollst an sie kommen (*w^e*Perf) gegenüber den Baka-Bäumen. Und es wird sein (*wijhi*) wenn du das Rauschen hörst ...".

Beim Verb *haja* lässt sich also sagen, dass im Grunde dieselben Regeln wie sonst gültig sind, dass aber der Sprachgebrauch in Richtung auf eine tempusrelatierte Verwendung der Formen tendiert.

d) Zusammenfassung

In den Texten des Pentateuchs und des deuteronomistischen Geschichtswerks tritt ein sehr einheitliches Bild in bezug auf die konsekutiven Verbformen hervor.

Das *we*Perf hat verschiedene Bedeutungen, die oft verhältnismässig weit auseinander liegen. Die Grenzen zwischen den verschiedenen Funktionen des *we*Perf sind nicht immer scharf. In der Mehrzahl der Fälle hat *we*Perf eine futurale, finale oder konsekutive Funktion und entspricht dann in unserer Übersetzung meistens einer Konstruktion mit temporalen oder modalen Hilfsverben wie „werden" oder „sollen". Das Geschehen liegt in der Zukunft oder ist als Absicht oder Folge zu verstehen.

In einer Reihe von Fällen hat das *we*Perf aber eine Bedeutung, die wir mit einem Vergangenheitstempus wiedergeben müssen. Hier ist erstens die iterative Verwendung zu notieren und ferner das *we*Perf als Plusquamperfekt. Das *wa*Impf passt hier nicht, da es einen punktuellen oder momentanen Sinn ergeben würde. Das wiederholte Geschehen oder das schon Vorhandene muss also anders ausgedrückt werden. Hier ist aber zu bemerken, dass ein *we*Perf in der Funktion von „Plusquamperfekt" nicht immer mit einem Plusquamperfekt zu übersetzen ist. Wenn das Geschehen nicht in der Vergangenheit spielt, kann z.B. ein Perfekt besser passen.

Es bleiben schliesslich einige Fälle übrig, wo das *we*Perf statt eines zu erwartenden *wa*Impf steht. Hierher gehören Perf + *we*Perf in Hendiadyoin und einige Stellen, wo das *we*Perf das schon Gesagte näher entwickelt oder präzisiert. Ein *wa*Impf würde hier die nächste Stufe als ein neues und selbständiges Geschehen darstellen. Diese Stellen treten etwas häufiger am Ende des deuteronomistischen Geschichtswerks auf, und man muss die Möglichkeit ins Auge fassen, dass der spätere Sprachgebrauch, wo *wa*Impf verschwindet, hier in den Grenzgebieten des Gebrauches angefangen hat sich auszuwirken.

Das *wa*Impf hat kaum irgendwelche Berührungspunkte mit *we*Impf, sondern steht als Alternative zu *we*Perf in futuraler, finaler oder konsekutiver Bedeutung. Auffallend ist, dass besonders nach einem Imperativ *we*Perf in der folgenden Rede an die 2. Person verwendet wird, während *we*Impf in der Rede in 1. Person oder von einer 3. Person stark überwiegt. w^ePerf betont den vorhergehenden Willen, während w^eImpf die neue Initiative hervorhebt. Dabei drückt w^eImpf oft einen Wunsch aus oder weist einen modalen Charakter auf: „und wir wollen", „und er möge".

Beim Verbum *haja* sind die Anfänge einer Entwicklung in Richtung auf zeitgebundene Formen zu vermerken.

3 Das chronistische Geschichtswerk

Die zum chronistischen Geschichtswerk gehörigen Bücher — nach der Ordnung der hebräischen Bibel Esra, Nehemia und die Bücher der Chronik — schliessen sich natürlich in den mit dem deuteronomistischen Geschichtswerk gemeinsamen Abschnitten ziemlich eng an den Text dieses Geschichtswerkes an. Wie aus dem oben vorgeführten statistischen Vergleich hervorging, sind jedoch die Bücher der Chronik durchweg ärmer an den betreffenden Verbformen.

a) Esra

In Esra finden wir nur 2 Beispiele für w^eImpf; beide im einleitenden Koresedikt 1,3: „er ziehe hinauf . . . und er baue".

Von w^ePerf gibt es 9 Fälle. Eine finale oder konsekutive Bedeutung liegt deutlich in 9,12 vor: „damit ihr esset . . . und das Land vererbet", während die übrigen w^ePerf in unseren Sprachen am ehesten einem Tempus der Vergangenheit entsprechen. In 3,10 lesen wir „Und da die Bauleute den Grund legten (w^ePerf) . . . standen (waImpf) die Priester . . .". Das w^ePerf steht hier in einer Erzählungsreihe zwischen waImpf. Am nächsten liegt es, die Aussage als eine Beschreibung der vorliegenden Umstände zu verstehen. Ein „präzisierendes" Perf liegt in 6,22 vor: „der Herr hatte sie Freude erleben lassen (Perf), indem er das Herz des Königs von Assyrien wandte (w^ePerf)." Auf ein Perf folgt hier ein zweites w^ePerf, das die näheren Umstände des Geschehens entwickelt. Vgl. auch 9,2 9,6 9,13.

In 8,30 „und die Priester und Leviten nahmen (w^ePerf) das Silber und Gold" hätte nach dem üblichen alttestamentlichen Sprachgebrauch ein waImpf besser gepasst. Vgl. auch 8,36, obwohl hier auch eine finale Bedeutung möglich ist.

b) Nehemia

Im Buch Nehemia sind die Belege für sowohl w^ePerf wie w^eImpf zahlreicher als bei Esra. Die w^ePerf haben meistens konsekutive, finale oder futurale Bedeutung:

2,18.20: „Wir wollen darangehen (Impf) und bauen (w^ePerf)."

3,35: „Springt (Impf) ein Fuchs daran, wird er ihre Steinmauer zerreissen (w^ePerf)."

4,5: „Sie sollen nichts merken (Impf) und nichts sehen (Impf), bis wir mitten unter sie kommen (Impf) und sie totschlagen (w^ePerf) und dem Bauen ein Ende machen (w^ePerf)." Ähnliche Konstruktionen mit Impf und w^ePerf zusammen liegen auch in 5,8 6,3 6,11 vor.

Die finale oder konsekutive Bedeutung kann auch als präzisierend oder ausfüllend beschrieben werden:

1,8f.: „Wenn ihr treulos handelt (Impf), so werde ich euch unter die Völker zerstreuen (Impf); wenn ihr aber zu mir umkehrt (w^ePerf) und meine Gebote haltet (w^ePerf) und danach tut (w^ePerf), ... so will ich sie sammeln (Impf) und zurückbringen (w^ePerf) ...".

Es liegen auch Fälle vor, wo das w^ePerf einem Tempus der Vergangenheit bei uns entspricht:

9,7f.: „Du bist der Herr, Gott, der du Abraham erwählt hast (Perf) und ihn von Ur in Chaldäa herausgeführt (w^ePerf) und Abraham genannt (w^ePerf) und sein Herz treu vor dir gefunden hast (w^ePerf)."

13,1: „An jenem Tag wurde dem Volke aus dem Buch Mose vorgelesen (Perf), und es fand sich (w^ePerf) darin geschrieben ...".

In diesen zwei Beispielen folgt ein w^ePerf einem Perf. Man hätte eigentlich ein waImpf erwartet — diese Form kommt auch im Kontext reichlich vor. Das w^ePerf kann hier als konsekutiv oder präzisierend verstanden werden. Aber hier ist auch eben der Punkt, wo der spätere Gebrauch des w^ePerf sich auf das Gebiet des klassischen waImpf ausdehnen kann.

Als Plusquamperfekt kommt w^ePerf in 13,30 vor: „So hatte ich sie also von allem Ausländischen gereinigt (w^ePerf) und bestellte (waImpf) den Dienst der Priester." Das w^ePerf beschreibt hier zusammenfassend die vorliegenden Umstände, während das waImpf ein mehr punktuelles Geschehen im Rahmen des Vorhergehenden darstellt.

Dem w^ePerf gegenüber grenzt sich das w^eImpf in der gewöhnlichen Weise ab:

2,5: „Und ich sagte (waImpf) zum König: Gefällt es dem König, und ist dein Knecht angenehm (Impf) vor dir, so wollest du mich nach Juda senden (Impf), zu der Stadt wo meine Väter begraben liegen, damit ich sie wieder aufbaue (w^eImpf)." Nehemia verlangt nicht einen königlichen Befehl, die Stadt wieder aufzubauen, sondern nur die Genehmigung des Königs zu dem, was er selbst tun will.

3,14: „Und das Misttor baute (Perf) Malchia ... er baute es (Impf) und setzte seine Türen ein (w^eImpf)." Das Perf konstatiert; das Impf beschreibt den Verlauf näher. Vgl. auch V. 15. Die Formen unter Hinweis auf die Versionen zu ändern, wie die Biblia Hebraica es tut, ist irreführend.

In diesen zwei Beispielen ist die vorangehende Form ein Impf. So ist es auch in 6,10 8,15 9,27 9,28. Die vorangehende Form kann auch ein Imperativ sein: „Kommt, last uns bauen", 2,17; vgl. auch 6,2 6,7 9,5.

Wenn das w^ePerf und das w^eImpf zusammen auftreten, zeigt sich der Unterschied deutlich in 6,13: „... damit ich fürchten sollte (Impf) und so tun (w^eImpf) und dadurch sündigen (w^ePerf), und es würde ein böses Gerücht werden (w^ePerf)." Die beiden Imperfektformen geben ein Geschehen an, wo die zweite Stufe von der ersten zwar abhängig ist, aber doch eine neue Entscheidung voraussetzt. Die folgenden w^ePerf entwickeln dann nur die notwendige Folge.

In 10,32f. ist der Zusammenhang weniger deutlich: „Wir wollen von ihnen nichts kaufen (Impf) am Sabbat und am heiligen Tag, und wir wollen das siebente Jahr freilassen (w^eImpf) mit jeder Schuldforderung. Und wir verpflichten uns (w^ePerf) jährlich ein Drittel Schekel ...". Das w^ePerf könnte hier einem Plusquamperfekt entsprechen („und wir hatten uns verpflichtet"), oder aber wir sehen hier die Anfänge eines späteren Sprachgebrauches.

c) Die Bücher der Chronik

Das chronistische Geschichtswerk deckt sich zum grossen Teil mit dem Text anderer alttestamentlicher Schriften, vor allem mit dem der Bücher Samuel und der Könige. Nach dem farbigen Druck in der Ausgabe von Haupt[83] deckt sich vom Text der Bücher der Chronik etwa 40 % mit dem Text anderer Bibelbücher. Aber in diesen Abschnitten finden sich etwa zwei Drittel der 169 Belege für w^ePerf und w^eImpf in den Büchern der Chronik. Wie schon oben (unter I 4) gezeigt wurde, kommen die betreffenden Verbformen in 2.Chr spärlicher vor als in 2.Kön, und das trifft also in noch höherem Grad für die dem Chronisten eigenen Abschnitte zu.

[83] The Sacred Books of the Old Testament 20 (1895).

In den Textabschnitten, die dem deuteronomistischen und dem chronistischen Geschichtswerk gemeinsam sind, liegen auch grössere oder kleinere Abweichungen in bezug auf die Verbformen vor. Welche Textform hier die ursprünglichere ist, lässt sich nicht ohne weiteres bestimmen. Die Sonderlesarten der Chronik können selbstverständlich aus ihrer Vorlage stammen und müssen also nicht immer den Sprachgebrauch des Chronisten spiegeln.

In der Chronik wird an einigen Stellen eine Verbform mit w^e- hinzugefügt:

2.Sam 7,12: „Wenn deine Tage voll sind ...". 1.Chr 17,11: „Und es wird sein (*w^ehaja*), wenn deine Tage voll sind ...".

2.Sam 7,26: „So wird dein Name gross sein ...". 1.Chr 17,24 fügt am Anfang hinzu *w^eje'amen* „Und wird fest sein ...".

1.Kön 9,3: „Ich habe dieses Haus geheiligt (*hiqdašti*)." 2.Chr 7,16 liest *bacharti w^ehiqdašti* „erwählt und geheiligt". Der erweiterte Ausdruck ist als Hendiadyoin oder präzisierend zu verstehen.

2.Kön 21,6: „... und er trieb Zauberei (*w^e*Perf) und Wahrsagerei (*w^e*Perf) und bestellte (*w^e*Perf) Totenbeschwörer und Zeichendeuter ...". 2.Chr 33,6 fügt noch ein Glied hinzu: „... und er trieb Zauberei und Wahrsagerei und geheime Künste (*w^ekiššef*) und bestellte Totenbeschwörer und Zeichendeuter ...".

Wo die beiden Geschichtswerke verschiedene Textformen aufweisen, kann auch eine Form mit w^e- in der Chronik einer anderen Konstruktion in dem deuteronomistischen Geschichstwerk entsprechen:

1.Chr 14,10: „Und David fragte (*wa*Impf) Gott: Soll ich gegen die Philister hinaufziehen (*ha* + Impf)? Und wirst du sie in meine Hand geben (*w^e*Perf)? Und der Herr antwortete (*wa*Impf) ihm: Ziehe hinauf (Imperativ), und ich werde sie in deine Hand geben (*w^e*Perf)." Der Text in 2.Sam 5,19 hat auch im zweiten Glied der Frage ein *ha* + Impf. Im letzten Satz hat der Samueltext eine Konstruktion mit Infinitiv + Impf: „Ich werde sie wahrlich in deine Hand geben."

1.Chr 17,17: „... und du hast über das Haus deines Knechtes noch von fernem Zukünftigem geredet (*wa*Impf), und du hast mich angesehen (*w^e*Perf) nach Menschenordnung ...". Diesem eigentümlichen Text, *ur'itani k^etor ha'adam*, entspricht in 2.Sam 7,19 *w^ezo't torat ha'adam* „und dieses nach Menschenweise". Das *w^e*Perf kann, wie es hier steht, als präzisierend aufgefasst werden.

1.Chr 21,22: „Gib (Imperativ) mir den Platz der Tenne, so will ich darauf dem Herrn einen Altar bauen (*we*Impf)." 2.Sam 24,21 hat anstatt des *we*Impf einen Infinitiv.

2.Chr 7,19: „Wenn ihr aber von mir abfallt (Impf) und verlasst (*we*Perf) meine Satzungen und Gebote ...". Statt der Konstruktion mit *we*Perf hat 1.Kön 9,6 „... und nicht haltet (Impf) meine Gebote und Satzungen ...". Im folgenden Vers 20 hat der Chronist „und ich werde es (mein Haus) zum Sprichwort machen (*we*Impf)". 1.Kön 9,7 liest „und Israel wird zum Sprichwort werden (*we*haja)".

2.Chr 18,12: „... und sei (*wijhi*) dein Wort ...". Der Paralleltext in 1.Kön 22,13 hat Impf ohne *we*-.

2.Chr 23,7: „Und die Leviten sollen sich rings um den König stellen (*we*Perf) ...". In 2.Kön 11,8 werden die Leviten direkt angeredet: „Und ihr sollt euch rings um den König stellen (*we*Perf) ...".

2.Chr 24,11: „Und wenn sie sahen (Infinitiv), dass viel Geld darin war, so kamen (*we*Perf) der Schreiber des Königs und der vom Oberpriester Beauftragte und schütteten die Lade aus (*we*Impf) und trugen (*we*Impf) sie wieder hin (*we*Impf) an ihren Ort. So taten sie (Perf) alle Tage und sammelten (*wa*Impf) viel Geld." Die parallele Erzählung in 2.Kön 12,11 hat andere Verben und verwendet *wa*Impf. Die Schlussbemerkung fehlt.

2.Chr 34,4: „... und die Ascherabilder und Götzen und gegossenen Bilder zerbrach er (Perf) und machte sie zu Staub (*we*Perf) und streute sie (*wa*Impf) auf die Gräber ...". Das *we*Perf präzisiert das vorhergehende Perf. Darauf wird ein neues Moment mit *wa*Impf eingeführt. Eine ähnliche Erzählung in 2.Kön 23,6 hat durchweg *wa*Impf.

2.Chr 34,25: „... dass sie mich erzürnten (Infinitiv) mit allerlei Werken ihrer Hände. Und mein Grimm wird sich ergiessen (*we*Impf) ...". 2.Kön 22,17 hat „... und mein Grimm wird sich entzünden (*we*Perf) ...". Die letztere Form ist wohl im Zusammenhang leichter zu erklären.

In den Textabschnitten, die der Chronik eigen sind, kommen auch *we*Perf und *we*Impf vor. Wie schon erwähnt wurde, sind diese Formen geringer an Zahl im Verhältnis zu der Länge der Texte. Aber die Verwendung ist die übliche. Der Unterschied zwischen *we*Perf und *we*Impf tritt in 1.Chr 4,10 hervor: „Und Jaebes rief den Gott Israels an (*wa*Impf) und sprach: Ach dass du mich segnetest (Infinitiv + Impf) und meine Grenze mehrtest (*we*Perf) und deine Hand mit mir wäre (*we*Perf) und du mich vor Unglück behütest (*we*Perf), so dass mich kein Schmerz trifft! Und Gott liess kommen (*wa*Impf), was er bat (Perf)." Das Impf drückt den Wunsch aus; durch die folgenden *we*Perf wird der Inhalt des Wunsches näher beschrieben.

Das w^ePerf ist final in 1.Chr 9,26: „Das sind die Leviten, und sie sollten über die Kammern gesetzt sein (w^ePerf)." Eine dem Plusquamperfekt entsprechende Bedeutung liegt vermutlich in 1.Chr 7,21 vor: „Aber die Männer von Gath erschlugen sie", und eine iterative Bedeutung in 2.Chr 15,6: „Und es stiessen sich (w^ePerf) Volk an Volk und Stadt an Stadt."

Oft tritt das w^ePerf in Hendiadyoin auf oder ist als „präzisierend" zu beschreiben:

2.Chr 1,8: „Du hast meinem Vater David grosse Liebe erwiesen (Perf) und hast mich zum König an seiner Stelle gemacht (w^ePerf)."

2.Chr 3,7: „Und er überkleidete (waImpf) das Haus ... mit Gold und liess Cherubim an den Wänden einschnitzen (w^ePerf)."

2.Chr 19,3: „Denn du hast die Astartebilder aus dem Lande weggeschafft (Perf) und hast dein Herz gerichtet (w^ePerf), Gott zu suchen."

2.Chr 29,19: „Und alle Geräte ... haben wir wieder hergerichtet (Perf) und geheiligt (w^ePerf)."

2.Chr 31,21: „... von ganzem Herzen handelte er (Perf) und hatte auch Glück (w^ePerf)."

In diesen dem Chronisten eigenen Abschnitten liegen auch Beispiele mit w^eImpf vor. Die Mehrzahl zeigt das gewohnte Bild; auch die übrigen lassen sich nach dem üblichen Muster erklären:

2.Chr 20,9: „Wenn ein Unglück ... über uns kommt (Impf), wollen wir stehen (Impf) vor diesem Hause ... und schreien (w^eImpf) zu dir in unserer Not, und du wollest hören (w^eImpf) und helfen (w^eImpf)." Vgl. auch 2.Chr 20,20.

d) Zusammenfassung

Zusammenfassend lässt sich sagen, dass die Bücher der Chronik die Formen mit w^e- nicht so reichlich verwenden wie es in den Büchern des deuteronomistischen Geschichtswerks geschieht. Die vorliegenden Belege folgen den üblichen Regeln, aber möglicherweise lässt sich eine Tendenz in Richtung auf w^ePerf in „präzisierender" Bedeutung spüren, was sich als Verwischung der Grenze zwischen w^ePerf und waImpf auswirken kann.

4 Die Propheten

a) Jesaja 1—39

Unter den zahlreichen Beispielen für w^ePerf haben die meisten futurale, finale oder konsekutive Bedeutung. Man kann auch iterative oder durative Bedeutung finden, z.B. 6,3: „Und einer rief (w^ePerf) zum anderen"; 24,1: „Siehe, der Herr macht das Land leer (Partizip) und wüst (Partizip), und er dreht seine Oberfläche um (w^ePerf) und zerstreut (w^ePerf) seine Einwohner." Auch die übliche konsekutive Bedeutung liegt hier nahe. Ein Plusquamperfekt liegt vielleicht in 38,15 vor: „Was soll ich reden (Impf)? Er hat es mir zugesagt (w^ePerf) und hat es auch getan (Perf)." Der Qumrantext liest wahrscheinlich an Stelle des w^ePerf ein w^eImpf in der 1. Person: „Was soll ich reden und sagen?" Der masoretische Konsonantentext kann sowohl w^e'amar wie w^e'omar gelesen werden.

Die Abhängigkeit des w^ePerf vom Vorhergehenden tritt in 8,16f. hervor: „Binde (Imperativ) das Zeugnis, versiegle (Imperativ) das Gesetz meinen Jüngern. Denn ich hoffe (w^ePerf) auf den Herrn, der sein Antlitz verborgen hat vor dem Hause Jakob, ich harre (w^ePerf) auf ihn."

Ein „präzisierendes" Perf liegt in 28,28 vor: „. . . denn nicht immerfort drischt man darauf los (Infinitiv + Impf) und treibt (w^ePerf) das Rad seines Wagens darüber . . .".

Unter den Belegen für w^eImpf seien erwähnt:

5,29: „Sein Gebrüll ist wie das der Löwen, und sein Brüllen wie das der jungen Löwen, und er knurrt (w^eImpf) und er packt (w^eImpf) die Beute und bringt sie davon (w^eImpf)." Die Aktivität des Löwen wird durch die Wahl von w^eImpf unterstrichen.

25,9: „Siehe, das ist unser Gott, auf den wir harren (Perf), und er wird uns helfen (w^eImpf)."

30,8: „Schreib es (Imperativ) ihnen vor auf eine Tafel und zeichne es (Imperativ) in ein Buch, und es bleibe (w^eImpf) für kommende Tage." Der Sinn der Konstruktion ist natürlich final, aber nach dem Imperativ fügt der Redende als seinen Wunsch hinzu, dass das Geschriebene auch für die Zukunft erhalten bleiben möge. Ein w^ePerf hätte das Bleiben des

Geschriebenen näher an das Vorhergehende angeknüpft: „damit es bleiben soll" oder „und es soll bleiben".

37,20: „Und nun, Herr, unser Gott, hilf uns (Imperativ) von seiner Hand, und alle Königreiche auf Erden mögen erfahren (w^eImpf), dass du allein der Herr bist." Der Redende appelliert an Gott, dass die erwünschte Folge eintreffen möge. In diesem Ausdruck wird w^eImpf an einer Reihe von Stellen verwendet, wenn Gott in der 2. Person angeredet wird; vgl. 1.Kön 18,37 Ps 83,19 109,27. Wenn Gott selbst in der 1. Person spricht, wird dagegen w^ePerf verwendet, siehe z.B. Ex 7,5 Jes 49,26 Jer 16,21 Hes 5,13 und öfters.

38,21: „Und Jesaja sagte (waImpf), man sollte einen Feigenkuchen nehmen (Impf) und ihn auf das Geschwür legen (w^eImpf), und er sollte leben (w^eImpf)." In 2.Kön 20,7 wird die Episode mit waImpf erzählt.

In poetischen Texten liegen oft parallele Ausdrücke vor, die nicht selten einem Hendiadyoin entsprechen:

1,2: „Kinder habe ich auferzogen (Perf) und erhöht (w^ePerf)."

9,7: „Ein Wort sendet (Perf) der Herr in Jakob, und es ist in Israel gefallen (w^ePerf)."

29,20: „... wenn die Tyrannen ein Ende haben (Perf) und es mit den Spöttern aus sein wird (w^ePerf) ...".

38,12: „Meine Zeit ist dahin (Perf) und von mir weggetan (w^ePerf)."

Auch Imperfekta kommen parallel vor:

14,10: „Sie alle reden (Impf) und sagen (w^eImpf) zu dir ...".

18,4: „Ich will stillhalten (Impf) und schauen (w^eImpf) ...".

25,9: „Wir wollen jubeln (Impf) und uns freuen (w^eImpf) in seinem Heil."

35,6: „Dann wird der Lahme springen (Impf) wie ein Hirsch, und die Zunge des Stummen wird jauchzen (w^eImpf)."

Sowohl w^ePerf wie w^eImpf haben hier denselben Charakter wie ein einfaches Perf oder Impf: das Perf konstatiert ein vorliegendes Ganzes, und das Impf drückt einen Wunsch aus oder beschreibt ein Geschehen von innen her.

In 28,24ff. wechseln w^ePerf und w^eImpf: „Pflügt (Impf) wohl der Landmann immerfort, um zu säen? Furcht er (Impf) und egget (w^eImpf) seinen Acker? Ist es nicht so: Wenn er seine Oberfläche geebnet hat (Perf), so streut er Dill aus (w^ePerf) und Kümmel sät er (Impf) und legt

(w^ePerf) Weizen ... So hat er ihn zum Rechten unterwiesen (w^ePerf), sein Gott lehrt ihn (Impf)." Das Wechseln der verschiedenen Verbformen lässt sich möglicherweise nach den gewöhnlichen Regeln erklären, aber man kann hier nicht davon absehen, dass der Parallelismus auch mitgespielt hat.

b) Jesaja 40—66

Die meisten w^ePerf sind futural zu übersetzen. Die konsekutive oder finale Bedeutung spielt dabei oft mit. In einigen Fällen könnten die Aussagen iterativ verstanden werden:

40,30: „Jünglinge werden müde (w^ePerf) und matt (w^ePerf), und junge Männer fallen (Infinitiv + Impf)."

56,4: „... die meine Sabbate halten (Impf) und erwählen (w^ePerf) was mir wohl gefällt ...".

59,14: „Und das Recht ist zurückgewichen (w^ePerf) und die Gerechtigkeit fern getreten (Impf) ...".

Das w^ePerf wechselt hier mit einem Impf, und der poetische Parallelismus kann auch einwirken. In 55,10f. liegt die Bedeutung eines Plusquamperfekts vielleicht am nächsten: „Wie der Regen und der Schnee vom Himmel fällt (Perf) und nicht dahin zurückkehrt (Impf), er habe denn die Erde getränkt (Perf) und befruchtet (w^ePerf) und wachsend gemacht (w^ePerf), so dass sie dem Sämann Samen und dem Essenden Brot gegeben hat (w^ePerf), so ist (Impf) mein Wort, das aus meinem Mund geht (Impf): es kehrt nicht leer zu mir zurück (Impf), sondern erst dann, wenn es das ausgerichtet hat (Perf), was ich wünsche (Perf), und das zustande gebracht hat (w^ePerf), wozu ich es gesandt habe (Perf)."
Oft steht das w^ePerf in einem Hendiadyoin oder eng mit einem anderen Perf verbunden: 41,4 „Wer hat es gewirkt (Perf) und gemacht (w^ePerf)?", 43,12 „Ich habe es verkündigt (Perf) und habe geholfen (w^ePerf) und habe es sagen lassen (w^ePerf)", 44,8 „Habe ich es dich nicht längst hören lassen (Perf) und verkündigt (w^ePerf)?", 63,10 „Und sie erbitterten (Perf) und entrüsteten (w^ePerf) seinen heiligen Geist", 65,6 „Ich will nicht schweigen (Impf), es sei denn dass ich vergolten habe (Perf) und vergolten habe (w^ePerf) in ihren Busen". Diese Konstruktion liegt in den ersten und den letzten Kapiteln vor, aber nicht in den mittleren.
Auch w^eImpf steht oft mit einem Impf zusammen, z.B. 41,11: „Siehe, sie sollen zu Spott (Impf) und zu Schanden werden (w^eImpf) alle, die dir gram sind, sie sollen zunichte werden (Impf) und zugrunde gehen (w^eImpf), deine Widersacher." Das w^eImpf drückt oft einen Wunsch aus

und tritt in der 1. Person gern in voluntativer Form auf. An einigen Stellen erfordert die Konstruktion besondere Aufmerksamkeit:

40,25: „Wem wollt ihr mich also gleichstellen (Impf), dass ich ihm gleich wäre (we Impf), spricht (Impf) der Heilige." Durch das we Impf wird der Wille des sprechenden Gottes unterstrichen: „dass ich wirklich gleich ihm sein wollte!" Ein we Impf hätte nur die Folge oder den Inhalt des Gleichstellens von aussen her konstatiert.

51,2: „Denn ich rief ihn (Perf), da er noch einzeln war, und ich segne ihn (we Impf) und mehre ihn (we Impf)." Sowohl ältere wie neuere Übersetzungen finden es natürlich, die beiden letzteren Formen in einem Vergangenheitstempus wiederzugeben: „und ich segnete ihn und mehrte ihn", und die Änderung zu wa Impf wird auch im Apparat vorgeschlagen. Aber man könnte auch „und ich werde ihn segnen und mehren" übersetzen. Der Verfasser hat hier wohl eben we Impf gewählt, weil er sagen will, dass der Segen nicht nur etwas Abgeschlossenes ist, vgl. V. 3. Die Schwierigkeit fängt an, wenn der Übersetzer ein Tempus wählen muss.

Im poetischen Parallelismus korrespondieren auch verschiedene Verbformen miteinander, z.B. 43,9: „Alle Heiden sind zusammengekommen (Perf), und alle Völker versammeln sich (we Impf)."

c) Jeremia

Von den we Perf sind etwa 90 % futural zu verstehen oder mit „werden" oder „sollen" zu übersetzen. Das we Perf unterstreicht das Geschehen als eine Folge des Vorhergehenden:

7,23: „Gehorcht (Imperativ) meinem Wort, so will ich euer Gott sein (we Perf), und ihr sollt mein Volk sein (Impf) und auf dem ganzen Weg wandeln (we Perf), den ich euch befohlen habe (Impf)."

12,3: „Und du, Herr, kennst mich (Perf), du siehst mich (Impf) und prüfst (we Perf) mein Herz vor dir."

12,17: „Und wenn ihr nicht hören wollt (Impf), so werde ich dieses Volk ausreissen (we Perf) . . .".

28,13: „Du hast das hölzerne Joch zerbrochen (Perf), aber ein eisernes Joch an seine Stelle gesetzt (we Perf)." Durch sein Handeln hat der falsche Prophet Hananja etwas ganz anderes gemacht, als er beabsichtigt hatte.

Oft liegt eine iterative Bedeutung am nächsten:

7,8ff.: „Ihr verlasset euch (Partizip) auf Lügen . . . stehlen, morden und Ehebruch treiben (Infinitiven) . . . und dann kommt ihr (we Perf) und tretet (we Perf) vor mich in diesem Hause . . .".

7,31: „Und sie bauten (w^ePerf) die Opferstätte des Tophet im Tale Ben-Hinnom ...".

14,3: „Sie finden (Perf) kein Wasser, sie bringen ihre Gefässe leer wieder (Perf), sie gehen traurig (Perf) und betrübt (w^ePerf) und verhüllen (w^ePerf) ihr Haupt."

18,4: „Und wenn das Gefäss, dass er aus dem Ton anfertigte (Partizip), missriet (w^ePerf) in der Hand des Töpfers, so fuhr er fort (w^ePerf) und machte (waImpf) ein anderes Gefäss." Durch w^ePerf wird das iterative Geschehen beschrieben; wenn es ihm endlich gelingt, wird das durch waImpf ausgedrückt.

20,9: „Sage ich (w^ePerf) aber: Ich will seiner nicht mehr gedenken (Impf) und nicht mehr in seinem Namen reden (Impf), so ist es (w^ePerf) mir im Inneren wie ein brennendes Feuer, in meinen Gebeinen verschlossen, und mühe ich mich, es auszuhalten (w^ePerf), so vermag ich (Impf) es nicht." Die Formen mit w^ePerf erzählen kaum von einem besonderen Ereignis (kurz vorher, in V. 7, verwendet der Prophet waImpf, wenn er von seiner Berufung erzählt), sondern sie sind hier iterativ oder konsekutiv zu verstehen. Aber es ist selbstverständlich, dass der Prophet das, was er beschreibt, nur aus eigener Erfahrung erzählen kann.

22,15: „Dein Vater hat ja gegessen (Perf) und getrunken (w^ePerf), aber er hat auch Recht und Gerechtigkeit geübt (w^ePerf)."

25,4: So hat der Herr zu euch alle seine Knechte, die Propheten, immer wieder gesandt (w^ePerf)."

An einigen Stellen hat das w^ePerf den Charakter eines Plusquamperfekts:

3,9: „Und es ist geschehen (w^ehaja, w^ePerf): von ... ihrer Unzucht verunreinigte sie (waImpf) das Land ...". Die Form w^ehaja steht oft als Einleitung und erhält in dieser Funktion fast die Bedeutung eines Futurs, aber sie kann auch wie hier in einer Erzählung der Vergangenheit stehen. Das Verbindende ist ihre konsekutive Bedeutung.

4,10: „Du hast dieses Volk und Jerusalem getäuscht (Infinitiv + Perf), indem du sagtest: Friede wird bei euch sein (Impf) — und das Schwert drängt (w^ePerf) bis an die Seele."

6,17: „Und ich habe Wächter über euch gesetzt (w^ePerf): merkt (Imperativ) auf den Schall der Posaune!"

37,11ff.: „Und es geschah (w^ehaja) als der Heer der Chaldäer von Jerusalem abgezogen war (Infinitiv) ... ging (waImpf) Jeremia aus Jerusalem und wollte ins Land Benjamin gehen ...". Das einleitende *w^ehaja* beschreibt die vorliegenden Umstände, ehe das eigentliche Geschehen erzählt wird. Das folgende *waImpf* ist am ehesten als ein „Imperfektum conatus" zu verstehen, da Jeremia schon am Tor festgenommen wurde. Vgl. *w^ehaja* 38,28.

40,3: „Und der Herr hat es nun auch eintreten (*waImpf*) und kommen lassen (*waImpf*), wie er gesagt hatte (Perf), denn ihr habt gesündigt (Perf) wider den Herrn und seiner Stimme nicht gehorcht (Perf), darum ist dieses mit euch geschehen (*w^ehaja*)."

In poetisch ausgestalteten Aussagen kommen Perf und *w^ePerf* parallel vor: 7,28 „Der Glaube ist verschwunden (Perf) und ausgerottet (*w^ePerf*) von ihrem Mund"; 38,22 „Sie haben dich überredet (Perf) und verführt (*w^ePerf*)". Vgl. auch 46,6 49,30 51,9.

In 37,15 lässt sich das *w^ePerf* kaum erklären: „Und die Fürsten wurden zornig (*waImpf*) über Jeremia und liessen ihn schlagen (*w^ePerf*) und warfen ihn (*w^ePerf*) ins Gefängnis ...". Das *w^ePerf* ist hier auffallend, und Sebir liest auch *waImpf*.

Vom *w^ePerf* hebt sich das *w^eImpf* in der üblichen Weise ab:

3,18: „Zu der Zeit wird das Haus Juda zum Hause Israel gehen (Impf), und sie werden miteinander kommen (*w^eImpf*) ...". Vgl. 1,15: „Denn siehe, ich rufe (Partizip) alle Völkerstämme im Reiche des Nordens, sagt der Herr, und sie werden kommen (*w^ePerf*) und werden ihre Stühle setzen (*w^ePerf*) vor die Tore Jerusalems ...". Beide Aussagen sind prophetische Schilderungen von Ereignissen, die in der Zukunft liegen, und entsprechen in unserer Übersetzung einem Futur. Die Wahl des *w^ePerf* bzw. des *w^eImpf* deutet an, dass Israel und Juda von sich aus spontan handeln, während die Völker in 1,15 vom vorausgehenden Befehl abhängig sind.

6,27: „Zum Prüfer habe ich dich bei meinem Volk bestellt (Perf) ... und du sollst seinen Weg kennen (*w^eImpf*) und prüfen (*w^ePerf*)."

7,3 „Bessert (Imperativ) eure Wege und euer Leben, so will ich euch an diesem Ort wohnen lassen (*w^eImpf*)." Aber nachdem der Herr diesen seinen Willen angekündigt hat, kann er in V. 6f. *w^ePerf* verwenden: „... und folgt (Impf) nicht nach anderen Göttern ... so will ich euch an diesem Ort wohnen lassen (*w^ePerf*)." Jetzt hängt es vom Volk ab, ob die Verheissung Wirklichkeit werden soll.

18,23: „Du mögest nicht ihre Missetat vergeben (Impf) und ihre Sünde vor dir austilgen (Impf), sodass sie vor dir niedergestürzt liegen (*w^ehaju*, Ketib)." Qere hat *w^ejihju* „und sie mögen niedergestürzt liegen".

26,3: „Vielleicht hören sie (Impf) und bekehren sich (w^eImpf), ein jeder von seinem bösen Wandel, damit mich das Übel reuen möchte (w^ePerf) . . .“.

26,13: „Und nun, bessert (Imperativ) euren Wandel und euer Tun und gehorcht (w^eImperativ) der Stimme des Herrn, eures Gottes, so wird den Herrn das Übel reuen (w^eImpf) . . .“. In 26,3, wo der Herr selbst redet, wird die Folge durch w^ePerf ausgedrückt. Hier spricht der Prophet, und er deutet durch das w^eImpf an, dass die Initiative bei Gott liegt. Die Aussage ist jedoch nicht als nur ein Wunsch zu verstehen. Eine Übersetzung mit „möchte“ wäre zu schwach.

51,2: „Und ich werde Worfler nach Babel senden (w^ePerf), und sie werden es worfeln (w^ePerf) und ihr Land ausplündern (w^eImpf).“ Das Ausplündern wird nicht nur als eine erfüllende Folge des Vorhergehenden dargestellt.

51,58: „Und Völker mühen sich (w^eImpf) für nichts ab, und Völkerschaften arbeiten sich (w^ePerf) für das Feuer ab.“ In Hab 2,13 steht dieselbe Aussage mit dem zweiten Verb im Impf. Der poetische Parallelismus erlaubt verschiedene Kombinationen — er kann sowohl synonym wie antithetisch sein.

Auch Impf und w^eImpf kommen wie Perf und w^ePerf zusammen vor: 10,8 „Sie sind alle dumm (Impf) und töricht (w^eImpf)“; 18,16 „Wer vorübergeht, wird sich verwundern (Impf) und den Kopf schütteln (w^eImpf)“. Vgl. auch 49,17 49,22 50,13. So verhält es sich auch in poetischem Parallelismus:

16,19: „Die Völker werden zu dir kommen (Impf) von den Enden der Erde und sagen (w^eImpf) . . .“.

31,37: „Wenn man den Himmel oben messen kann (Impf) und den Grund der Erde erforschen (w^eImpf) . . .“.

d) Hesekiel

Bei Hesekiel sind die w^eImpf sehr gering an Zahl — nur 20 Belege gegenüber mehr als 800 w^ePerf. Hesekiel zeigt hier ein Bild, das in etwa an Leviticus erinnert. Die Verwendung der Formen ist allerdings die übliche. Das w^ePerf ist meistens futural, final oder konsekutiv zu verstehen.

37,1f. wird am besten als iterativ verstanden: „Und er liess mich mitten in der Tal-Ebene nieder (waImpf), die voll von Totengebeinen war. Und er führte mich (w^ePerf) ringsherum an diesen vorüber . . .“. Einige Stellen sind als Plusquamperfekt oder einfach als das Vorhergehende präzisierend zu verstehen, z.B.:

17,18: „Er hat ja den Eid verachtet (*we*Perf), um den Bund zu brechen (Infinitiv)."

23,40: „Und siehe, sie kamen (Perf), für welche du dich gebadet (Perf) und die Augen geschminkt (Perf) und dich mit Geschmeide geschmückt hattest (*we*Perf)."

25,12: „Und sie verschuldeten sich (*wa*Impf), indem sie sich an ihnen rächten (*we*Perf)."

Nich selten stehen ein Perf und ein *we*Perf eng zusammen. Das *we*Perf kann dann als „präzisierend" bezeichnet werden, oder aber die beiden Formen sind als Hendiadyoin zu verstehen:

19,12: „Und der Ostwind verdorrte (Perf) seine Frucht, und seine starken Reben wurden zerbrochen (Perf) und verdorrten (*we*Perf); Feuer hat ihn verzehret (Perf)."

22,29: „Das Volk im Lande übt Gewalt (Perf) und begeht Raub (*we*Perf)."

Dieser Gebrauch kommt auch in poetischen Aussagen vor. Dabei eignet sich ein Perf + *we*Perf zum synonymen Parallelismus, 37,11: „Unsere Gebeine sind verdorrt (Perf), und unsere Hoffnung ist verloren (*we*Perf)." Die beiden Glieder des Parallelismus können auch in gewissem Gegensatz zueinander stehen, 17,24: „Ich mache den grünen Baum dürr (Perf) und den dürren Baum grün (*we*Perf). Ich, der Herr, rede es (Perf) und tue es (*we*Perf) auch." Der letzte Satz kann auch mit temporalem Gegensatz übersetzt werden: „Ich habe es gesagt und werde es auch tun." Vgl. dazu 22,14.

Die *we*Impf-Formen sind, wie erwähnt, geringer an Zahl und werden zudem oft im Apparat in Frage gestellt. Von den Belegen seien die folgenden angeführt:

6,6: „. . . damit eure Altäre verlassen (Impf) und zerstört (*we*Impf) dastehen . . .".

12,25: „Denn ich, der Herr, werde reden (Impf), was ich reden will (Impf); ein Wort, und es wird geschehen (*we*Impf). Es wird nicht länger verzogen werden (Impf), sondern bei eurer Zeit, ihr ungehorsames Haus, will ich ein Wort reden (Impf) und es tun (*we*Perf)." Das abschliessende *we*Perf unterstreicht hier die notwendige Folge.

13,11: „Sprich zu den Tünchestreichern, und (die Mauer) wird fallen (*we*Impf)."

13,15: „Und ich werde meinen Grimm vollenden (w^ePerf) an der Mauer und an denen, die sie mit Tünche bestrichen haben (Partizip), und ich will zu euch sagen (w^eImpf) . . .“.

24,27: „An jenem Tag wird dein Mund aufgetan werden (Impf) . . . und du wirst reden (w^eImpf) und nicht mehr schweigen (Impf).“ Die eigene Aktivität des Propheten wird betont.

26,21: „Zum Schrecken will ich dich machen (Impf), dass du nicht mehr da bist, und du wirst gesucht werden (w^eImpf) und nicht gefunden (Impf).“

31,10f.: Und sie liess (waImpf) ihren Wipfel bis in die Wolken, und ihr Herz erhob sich (w^ePerf) infolge ihres hohen Wuchses. So will ich sie in die Hände des Mächtigen unter den Völkern geben (w^eImpf) . . .“.

32,28: „So wirst du unter den Unbeschnittenen zerschmettert werden (Impf) und unter denen, die mit dem Schwert erschlagen sind, liegen (w^eImpf).“

33,31: „Und sie werden zu dir kommen (w^eImpf) wie bei einer Volksversammlung und vor dir sitzen (w^eImpf), mein Volk, und werden deine Worte hören (w^ePerf), aber nicht danach tun (Impf).“ Durch w^eImpf (und Impf) wird das Handeln des Volkes beschrieben; das w^ePerf deutet in einem einzelnen Punkt die Absicht und den Inhalt des Agierens des Volkes an.

37,9: „Wind, komm herzu (Imperativ) und blase diese Getöteten an (w^eImperativ), dass sie wieder lebendig werden (w^eImpf).“ Viele Handschriften haben statt eines w^eImpf ein w^ePerf. Beide Formen geben hier einen guten Sinn. Ein w^ePerf konstatiert, dass das Blasen zur Folge haben wird (oder soll), dass die Toten wieder lebendig werden. Ein w^eImpf unterstreicht den Wunsch oder die Absicht des Sprechenden, dass dies geschehen soll.

Im letzten Teil des Hesekielbuches liegt eine Reihe von Fällen vor, wo die Verwendung der Verbformen von den üblichen Regeln abweicht. So hätte man statt w^ePerf in 37,10 ein waImpf erwartet: „Und ich weissagte (w^ePerf), wie er mir geboten hatte (Perf), und der Geist kam (waImpf) in sie . . .“. In 40,24 heisst es von der Vermessung des neuen Tempels: „Und er führte mich (waImpf) in der Richtung nach Süden, und da war ein Tor . . ., und er mass (w^ePerf) . . .“. In 40,5ff. wird „und er mass“ durch waImpf ausgedrückt. Es ist schwer einzusehen, warum diese Form hier (wie auch in 41,13 und 41,15; vgl. auch 42,15) durch ein w^ePerf ersetzt wird. Auch die vorliegenden Beispiele für w^eImpf (40,42 43,11 43,27

47,9) sind zum Teil unklar. Spiegeln diese Schlusskapitel vielleich eine Zeit, wo das Gefühl für diese Verbformen angefangen hatte, sich abzuschwächen?

e) Das Zwölfprophetenbuch

Im Zwölfprophetenbuch ist die Verwendung von w^ePerf und w^eImpf die übliche. Viele unter den Büchern sind zu kurz, um besondere Schlüsse in bezug auf den Charakter des Buches zu erlauben, aber der Charakter scheint ziemlich einheitlich zu sein.

Hosea weist die meisten w^ePerf in den vielen Aussagen über die Zukunft auf; in den Kapiteln 6, 13 und 14 dagegen nur w^eImpf. Die w^ePerf sind an einigen Stellen deutlich konsekutiv oder iterativ: 7,1 „Wenn ich Israel heilen will (Infinitiv), findet sich (w^ePerf) die Sünde Ephraims …“; 7,10 „Und der Stolz Israels legt Zeugnis gegen sie ab (w^ePerf) …“. Das w^eImpf drückt oft einen Wunsch aus: „und er möge“. Der Wille des handelnden Subjekts wird unterstrichen: 4,6 „Du hast die Erkenntnis verworfen (Perf), darum verwerfe ich (w^eImpf) dich …“; 8,13 „Nunmehr wird er ihrer Schuld gedenken (Impf) und ihre Sünden strafen (w^eImpf) …“.

Joel hat unter den vielen w^ePerf ein Beispiel für Perf + w^ePerf in einer Beschreibung einer vorliegenden Situation: 1,7 „Er hat die Rinde abgeschält (Perf) und auf den Boden geworfen (w^ePerf).“ Von den drei w^eImpf sind zwei ein Impf + w^eImpf: 2,17 „sie sollen weinen … und sagen“; 4,12 „Die Völker sollen sich aufmachen und in das Tal Josaphat hinabziehen“. In 2,20 wechseln w^ePerf und w^eImpf in einem poetischen Parallelismus: „Und der Gestank von ihm wird aufsteigen (w^ePerf), und der Geruch von ihm wird sich erheben (w^eImpf).“

In Amos sind die w^ePerf sehr häufig; sie liegen in finaler, futuraler oder konsekutiver Bedeutung vor. Die Bedeutung eines Plusquamperfektums könnte in 5,26 und 7,2 vorliegen. Die w^eImpf drücken einen Willen oder einen Wunsch aus. In 9,10 werden ein Impf und ein w^eImpf als Hendiadyoin zusammengestellt: „Uns wird das Unglück nicht erreichen noch überraschen.“

Obadja hat in V. 1 ein w^eImpf „und wir wollen uns erheben“ und ferner eine Reihe von w^ePerf in den Aussagen über die Zukunft.

Jona enthält eine Erzählung in waImpf. An einigen Stellen kommen w^eImpf vor; die Bedeutung ist dabei voluntativ oder „sie werden, sie möchten“ 3,8. In 1,11f. heisst es: „Was sollen wir mit dir machen (Impf), damit das Meer sich beruhigt (w^eImpf)? … Und er sprach (waImpf) zu ihnen: Nehmt mich (Imperativ) und werft mich (w^eImperativ) ins Meer, damit das Meer sich beruhigt (w^eImpf) …“. In 3,9 wird dagegen w^ePerf verwendet: „Wer weiss? Er möchte sich wenden (Impf), und es wird Gott gereuen (w^ePerf), und er wendet sich (w^ePerf) von seinem Zorn ab …". Das w^ePerf entwickelt den Inhalt im Abwenden Gottes näher.

Micha verwendet w^ePerf in der üblichen Weise. Wie bei Hosea tritt w^eImpf besonders in den abschliessenden Aussagen ein. Zwei Impf können als Hendiadyoin stehen: 1,8 „Darüber will ich wehklagen (Impf) und jammern (w^eImpf); 7,17 „Sie werden beben (Impf) und sich fürchten (w^eImpf) vor dir." Das Impf drückt einen Wunsch aus oder betont die Aktivität des handelnden Subjekts: 6,16 „Und man hält (w^eImpf) die Lehre Omris …; 7,19 „Er wird sich unser wieder (Impf) erbarmen (Impf), wird unsere Verschuldungen niedertreten (Impf), ja, du wirst alle unsere Sünden in die Tiefe des Meeres werfen (w^eImpf)."

Nahum hat eine Reihe von w^ePerf, die final, futural oder konsekutiv zu verstehen sind. Ein Plusquamperfekt liegt möglicherweise in 1,12 vor: „Ich habe dich gedemütigt", aber der Text ist hier unsicher; vgl. Apparat. w^eImpf kommen in diesem Buch nicht vor.

Die in Habakuk vorliegenden w^ePerf sind konsekutiv oder iterativ. Die zahlreicheren w^eImpf stehen gern in Hendiadyoin oder in einem poetischen Parallelismus: 2,1 „Auf meine Warte will ich treten (Impf) und auf den Wachtturm mich stellen (w^eImpf)"; 3,5 „Vor ihm geht die Pest, und in seinem Gefolge zieht (w^eImpf) die Fieberglut einher." Vgl. auch 1,15.

Zephanja hat durchweg w^ePerf in den Aussagen über die Zukunft. In 2,11 und 2,13 wird w^eImpf verwendet um auszusagen, was der Herr oder die Völker tun werden oder möchten.

In Haggai wird w^ePerf in futuraler oder konsekutiver Bedeutung verwendet. In 2,16 ist die Bedeutung wahrscheinlich iterativ: „Kam man (Perf) damals zu einem Garbenhaufen von zwanzig Scheffeln, so wurden es (w^ePerf) nur zehn." Vgl. auch 1,9. Die zwei vorkommenden w^eImpf liegen in 1,8 vor: „Steigt ins Gebirge hinauf (Imperativ), schafft Holz herbei (w^ePerf) und baut (w^eImperativ) das Haus, so will ich meine Freude daran haben (w^eImpf) und mich verherrlichen (w^eImpf), sagt (Perf) der Herr." Was der Herr tut, geht von ihm selbst aus und wird nicht als eine mechanische Folge vom Handeln des Volkes dargestellt.

In Sacharja kommen w^ePerf reichlich vor und zwar in den üblichen Verwendungsbereichen. Ein w^ePerf steht als Voraussetzung des Folgenden, etwa als ein Plusquamperfekt, in 5,11: „Um ihr ein Haus im Lande Sinear zu bauen, und wenn es fertig ist (w^ePerf), soll sie dort niedergesetzt werden (w^ePerf)." Impf wechselt auch mit w^ePerf in poetischem Text: 10,7 „Und Ephraim wird wie ein Held sein (w^ePerf), und sein Herz soll fröhlich sein (w^ePerf) wie vom Wein, und ihre Kinder werden es sehen (Impf) und sich freuen (w^ePerf)." Die w^eImpf sind viel weniger an

Zahl. Sie drücken einen Wunsch aus oder unterstreichen den Willen oder die Absicht des handelnden Subjekts:

1,3: „Kehret euch (Imperativ) zu mir, ist die Aussage des Herrn Zebaoth, so will ich mich zu euch kehren (w^eImpf)."

3,2: „Der Herr schelte (Impf) dich, du Satan, ja, der Herr schelte (w^eImpf) dich." Der Herr redet hier von sich selbst in der 3. Person.

9,5: „Askalon wird es sehen (Impf) und erschrecken (w^eImpf), auch Gaza, und es wird erzittern (w^eImpf), ebenso Ekron, denn seine Zuversich ist zu Schanden geworden (Perf), und der König wird aus Gaza verschwinden (w^ePerf) . . .".

10,6: „Denn ich bin der Herr, ihr Gott, und ich will sie erhören (w^eImpf)." Im Vorhergehenden wird durch eine Reihe von w^ePerf beschrieben, was der Herr für sein Volk tun will. Seine Absicht wird abschliessend in einem w^eImpf zusammengefasst.

10,8: „Ich will sie heranlocken (Impf) und sammeln (w^eImpf), denn ich habe sie erlöst (Perf), und sie sollen so zahlreich werden (w^ePerf) wie sie einst waren (Perf)." Das w^eImpf drückt die Absicht des redenden Subjekts aus; durch w^ePerf wird die sich daraus entwickelnde Folge beschrieben.

Maleachi hat viele Beispiele für w^ePerf in der üblichen Verwendung. Oft wird ein wiedergegebener Dialog durch das charakteristische „und dann sagt ihr" weitergeführt, z.B. 1,2. Die fünf Beispiele für w^eImpf lassen sich mit „mögen" oder „wollen" wiedergeben.

f) Zusammenfassung

Die Prophetenbücher folgen im grossen ganzen den üblichen Regeln. In den poetisch abgefassten Teilen macht sich der Parallelismus bisweilen auch in der Wahl der verschiedenen Verbformen bemerkbar. Die Formen lassen sich jedoch oft auch als Hendiadyoin oder ein „präzisierendes Perf" erklären.

Im letzten Teil des Buches Hesekiel weichen eine Anzahl Formen von den üblichen Regeln ab. Das w^ePerf steht an einigen Stellen, wo man ein waImpf erwartet hätte, und auch die vorliegenden w^eImpf sind zum Teil unklar.

5 Die übrigen Schriften

a) Der Psalter

Im Psalter überwiegen die w^eImpf; für w^ePerf gibt es, mit Rücksicht auf die Länge des Textes, verhältnismässig wenige Beispiele. Das w^ePerf ist meistens final oder konsekutiv zu verstehen. Besondere Aufmerksamkeit verdient die Frage, wie sich dies in poetischen Parallelen auswirkt.

Ein Perf + w^ePerf liegen nicht selten in Hendiadyoin vor: 34,11 „Junge Löwen müssen darben und hungern"; 38,9 „Erschöpft bin ich und ganz zerschlagen"; 86,17 „Denn du, Herr, hast mir geholfen und mich getröstet"; 131,2 „Nein, ich habe meine Seele beruhigt und gestillt." Das folgende w^ePerf kann auch eine Weiterentwicklung des Geschehens darstellen:

22,6: „Zu dir haben sie geschrieen (Perf) und Rettung gefunden (w^ePerf)."

37,14: „Die Frevler ziehen das Schwert heraus (Perf) und spannen (w^ePerf) den Bogen."

50,21: „Das hast du getan (Perf), und ich habe geschwiegen (w^ePerf)."

53,2: „Verderbt ist (Perf) ihr Tun, abscheulich ist (w^ePerf) ihr Freveln."

66,14: „. . . zu denen meine Lippen sich verpflichtet haben (Perf), und die mein Mund verheissen (w^ePerf) in meiner Not."

97,6: „Die Himmel verkünden (Perf) seine Gerechtigkeit, und alle Völker sehen (w^ePerf) seine Herrlichkeit."

135,10: „Der viele Völker schlug (Perf) und mächtige Könige tötete (w^ePerf)."

148,5: „Denn er gebot (Perf), und sie wurden geschaffen (w^ePerf)."

In einigen von den obigen Beispielen ist der Parallelismus als synonym zu verstehen.

Unter den zahlreichen w^eImpf folgen einige einem Impf in Hendiadyoin, z.B. 31,4 „Du wirst mich führen und leiten"; 31,8 „Ich juble und freue mich"; 32,8 „Ich will dich unterweisen und dich lehren". Das *w^e*Impf drückt einen Wunsch aus, 2,3 „Wir wollen ihre Bande zerreissen (Impf) und ihre Fesseln von uns werfen (*w^e*Impf)", oder eine Möglichkeit, 2,12 „Küsset den Sohn, auf dass er nicht zürne (Impf) und ihr zugrunde geht (*w^e*Impf) auf eurem Wege". Sehr oft ist das *w^e*Impf mit „mögen" oder „wollen" zu übersetzen.

Im poetischen Parallelismus kann auch ein Perf neben ein Impf gestellt werden. In bezug auf das Ugaritische vermerkt Fenton, auf Cassuto und Held hinweisend: „. . . if the same verb is used in a narrative passage, in both members of a parallelistic unit, it may appear once in the *qtl* form, once in the *yqtl* form. The same device is employed in Hebrew[84]." Die Formen mit vorangehendem *w^e*- sind in diesem Fall ein wenig schwieriger zu beurteilen, weil z.B. ein *w^e*Perf oft auch als eine übliche konsekutive Konstruktion verstanden werden kann:

46,10: „Er zerbricht (Impf) den Bogen und zerschlägt (*w^e*Perf) den Speer; verbrennt (Impf) Kriegswagen mit Feuer."

49,8ff.: „Den Bruder kann kein Mensch loskaufen (Infinitiv + Impf), noch an Gott das Lösegeld für ihn zahlen (Impf). Denn es kostet zu viel (*w^e*Impf), ihre Seele zu erlösen, und er muss es lassen (*w^e*Perf) für ewig. Und er sollte dauernd leben (*w^e*Impf); die Grube nicht sehen (Impf)."

64,11: „Der Gerechte freut sich (Impf) des Herrn und nimmt seine Zuflucht (*w^e*Perf) zu ihm."

69,36: „Denn Gott wird Zion retten (Impf) und die Städte Judas wieder erbauen (*w^e*Impf), und sie werden dort wohnen (*w^e*Perf) und das Land besitzen (*w^e*Perf)."

71,14: „Ich aber will immer harren (Impf) und all deinen Ruhm noch mehren (*w^e*Perf)."

77,2: „Meine Stimme zu Gott — und ich will schreien (*w^e*Impf); meine stimme zu Gott — und er wird mich erhören (*w^e*Perf)."

77,12f.: „Ich will gedenken (Impf) der Taten des Herrn, will gedenken (Impf) deiner Wunder von der Vorzeit her. Und ich will sinnen (*w^e*Perf) über all dein Tun und deine grosse Taten erwägen (Impf)." Ausser dem Wechsel Impf/*w^e*Perf stehen auch die zwei letzten Impf im Voluntativ.

89,5: „Ich will deinen Samen ewig bestehen lassen (Impf) und deinen Thron für alle Zeiten aufbauen (*w^e*Perf)." Vgl. auch V. 24.26.30.33.

90,6: „Am Morgen grünt es (Impf) und spriesset (*w^e*Perf); am Abend welkt es (Impf), und es verdorrt (*w^e*Perf)."

---

[84] Fenton (1973) 35.

143,12: „Und nach deiner Gnade möchtest du vertilgen (Impf) meine Feinde und vernichten (w^ePerf) alle, die meine Seele bedrängen."

Nur ein paar Mal liegt die Reihenfolge Perf + w^eImpf vor:

55,13: „Denn nicht ein Feind ist es, der mich schmäht (Impf), das wollte ich ertragen (w^eImpf); nicht einer, der mich hasst, tut gross (Perf) gegen mich, vor ihm würde ich mich verbergen (w^eImpf)."

91,14: „Denn er hängt (Perf) an mir, und ich will ihn retten (w^eImpf); ich will ihn schützen (Impf), denn er kennt (Perf) meinen Namen."

Dazu kommt 119,41ff., aber hier stand der Dichter vor dem Zwang, an den Anfang der Verszeile ein mit einem *waw* beginnendes Wort zu setzen.

An ein paar Stellen stehen *wa*Impf und w^ePerf in einem Parallelismus:

20,9: „Sie stürzen nieder (Perf) und fallen (w^ePerf), und wir stehen fest (Perf) und halten uns aufrecht (*wa*Impf)." Die Übersetzung kann natürlich auch ein Tempus der Vergangenheit verwenden.

73,14: „Und ich wurde täglich geplagt (*wa*Impf) und alle Morgen bestraft (w^ePerf)."

b) Hiob

„Die 'Tempora' im Hiobdialog" wurden von Bobzin in seiner Dissertation mit diesem Titel gründlich untersucht[85] Bobzin ordnet die Belege nach dem Muster von ḥameṭ und mareʾ und nennt auch die Stellen, die seiner Ansicht nach Fehlpunktationen aufweisen[86]. Dass der Text Schwierigkeiten bietet, wird auch von Gross vermerkt: „Problematische *wayyiqtol*-Belege begegnen gehäuft im Buch Ijob[87]."

In der einleitenden und abschliessenden Rahmenerzählung finden sich keine w^eImpf. Die w^ePerf treten in der üblichen Weise auf:

1,4f.: „Und seine Söhne gingen (w^ePerf) und machten (w^ePerf) ein Mahl im Hause eines jeden an seinem Tage, und sie sandten hin (w^ePerf) und luden ihre drei Schwestern ein (w^ePerf), mit ihnen zu essen und zu trinken. Und es geschah (*wajhi*, *wa*Impf), wenn die Tage des Mahles um waren (Perf), sandte (*wa*Impf) Hiob und heiligte sie (*wa*Impf), und er stand früh auf (w^ePerf) und opferte (w^ePerf) Brandopfer ...". Die ersten w^ePerf sind iterativ oder sind als Plusquamperfekt zu verstehen. Mit

[85] Bobzin (1974).
[86] Bobzin (1974) 70.
[87] Gross (1976) 165.

*wa*Impf wird das Eingreifen von Hiob erzählt. Die darauf folgenden *we*Perf entwickeln den Inhalt seiner Massnahmen weiter.

42,6: „Darum spreche ich mich schuldig (Impf) und bereue (*we*Perf) in Staub und Asche."

42,8: „. . . und begebt euch (*we*Imperativ) zu meinem Knecht Hiob, und ihr sollt ein Brandopfer für euch darbringen (*we*Perf)."

In der poetischen Hauptmasse des Textes wirkt der Parallelismus offenbar auf die Wahl der Verbformen ein. Ein Impf + *we*Perf lässt sich zwar meistens auch konsekutiv verstehen, z.B. 9,17 „Der mich im Sturm zermalmt (Impf) und meine Wunden ohne Ursache zahlreich macht (*we*Perf)." Vgl. weiter z.B. 14,9 15,13 15,22 22,30 31,29 39,2. An den letzten zwei Stellen ist der Parallelismus am ehesten als synonym zu verstehen, was sonst lieber durch Perf + *we*Perf ausgedrückt wird: 11,13 „Wenn du dein Herz richtest (Perf) und deine Hände zu ihm ausbreitetest (*we*Perf) . . .". Vgl. auch z.B. 14,11 16,15 18,11 21,6 35,6. Eine scharfe Grenze lässt sich wohl hier nicht ziehen.

Die übliche konsekutive Bedeutung, wo das *we*Perf die Abhängigkeit vom Vorhergehenden andeutet, tritt auch hervor:

9,30f.: „Wenn ich mich auch mit Schnee wüsche (Perf) und meine Hände mit Lauge reinigte (*we*Perf), dann würdest du mich in die Schlammgrube eintauchen (Impf), so dass meine Kleider sich vor mir ekelten (*we*Perf)."

29,8: „Die jungen Männer sahen mich (Perf) und traten zurück (*we*Perf)."

Das *we*Impf kommt in den poetischen Teilen des Buches sehr häufig vor. Es ist dabei oft schwer zu beurteilen, welche Rolle der Parallelismus spielt:

3,11: „Warum bin ich nicht gestorben (Impf) vom Mutterleib an, so dass ich aus dem Leibe gekommen wäre (Perf) und gleich gestorben wäre (*we*Impf)?"

5,18: „Denn er verwundet (Impf) und verbindet (*we*Impf)."

6,18: „Sie steigen zu Nichts auf (Impf) und vergehen (*we*Impf)."

6,27: „Dann werft ihr (Impf) wohl über ein Waisenkind Los und verschachert (*we*Impf) euren Freund."

11,10: „Wenn er daherfährt (Impf) und gefangen legt (*we*Impf) und Gericht hält (*we*Impf), wer will ihm da wehren (Impf)?"

23,15: „Wenn ich es bedenke (Impf), so fürchte ich mich (*we*Impf) vor ihm."

36,11: „Wenn sie hören (Impf) und sich unterwerfen (*w*ᵉImpf) . . .“.

39,28: „Auf Felsen wohnt er (Impf) und bleibt (*w*ᵉImpf) auf den Zacken der Felsen . . .“.

Ein *w*ᵉPerf hätte das zweite Glied als eine (beabsichtigte) Folge näher an das Vorhergehende geknüpft. Das selbständige Agieren des Handelnden wird durch das *w*ᵉImpf stärker hervorgehoben. Aber man kann nicht davon absehen, dass auch der Parallelismus im Kontext auf die Wahl der betreffenden Verbform eingewirkt hat.

c) Sprüche

Im Buch der Sprüche sind die Perfekt- und Imperfektformen mit vorangehendem *waw* verhältnismässig gering an Zahl, besonders in der Sammlung von einzelnen Sprüchen in Kap. 10—22. Das *w*ᵉPerf folgt meistens auf ein Impf und entwickelt im zweiten Glied des Parallelismus, was im ersten Glied gesagt wird, z.B. 3,24: „Wenn du dich legst (Impf), brauchst du dich nicht zu fürchten (Impf); du legst dich nieder (*w*ᵉPerf), und dein Schlummer wird süss sein (*w*ᵉPerf)“; 3,26: „Denn der Herr wird deine Zuversicht sein (Impf), und er wird deinen Fuss vor dem Fallstrick behüten (*w*ᵉPerf)“. Das *w*ᵉPerf kommt auch in längeren Darstellungsreihen vor, z.B. 7,12f.: „Neben jeder Ecke lauert sie (Impf), und sie erwischt ihn (*w*ᵉPerf) und sie küsst ihn (*w*ᵉPerf); sie macht ihre Miene frech (Perf) und sagt (*wa*Impf) zu ihm . . .“. Die *w*ᵉPerf entwickeln das Impf näher und bereiten dann das Geschehen vor, das mit Perf und *wa*Impf erzählt wird. Perf + *w*ᵉPerf kommen auch vor, 9,12: „Bist du weise (Perf), so bist du dir weise (Perf); bist du ein Spötter (*w*ᵉPerf), so wirst du es selbst tragen (Impf).“

Das *w*ᵉImpf folgt meistens auf ein Impf oder einen Imperativ, z.B. 4,6: „Lass sie nicht ausser acht (Impf), so wird sie dich behüten (*w*ᵉImpf); gewinne sie lieb (Imperativ), so wird sie dich beschirmen (*w*ᵉImpf).“ Auch hier kann der Parallelismus mitspielen, aber die *w*ᵉImpf beschreiben auch die Weisheit als selbständig handelnd. Der Gegensatz zwischen *w*ᵉPerf und *w*ᵉImpf tritt in den folgenden Beispielen hervor:

22,3: „Der Kluge sieht (Perf) das Unglück und verbirgt sich (*w*ᵉImpf), und die Einfältigen gehen weiter (Perf) und werden beschädigt (*w*ᵉPerf).“ Der Text ist hier etwas unsicher (vgl. Apparat). Das *w*ᵉImpf liegt in Ketib vor; Qere liest auch hier *w*ᵉPerf. Ein *w*ᵉImpf würde den Gegensatz unterstreichen: Der Kluge zeigt eine eigene Initiative, aber der Einfältige wird vom Schicksal getroffen.

27,11: „Sei weise (Imperativ), mein Sohn, und erfreue (*w*ᵉImperativ) mein Herz, so will ich antworten (w^{e}Impf) dem, der mich schmäht." Die eigene Initiative wird durch das w^{e}Impf unterstrichen. Diese Stelle ist die einzige in diesem Buch, wo das w^{e}Impf in der 1. Person auftritt — an allen anderen Stellen kommt es in der 3. Person vor.

d) Ruth

Das Buch Ruth schliesst sich dem klassischen hebräischen Erzählstil an, auch in bezug auf die Verwendung von w^{e}Perf und w^{e}Impf. Von den fünf vorliegenden w^{e}Impf sind drei Formen vom Verb *haja*. Diese können einen Wunsch ausdrücken, 2,12: „Der Herr vergelte (Impf) dir deine Tat, und voller Lohn möge dir zuteil werden (*ut^{e}hi, w^{e}Impf*) . . ."; 4,12: „Und dein Haus werde (*wijhi, w^{e}Impf*) wie das Haus des Perez . . .". In 4,15 heisst es aber „Der wird (*w^{e}haja, w^{e}Perf*) dich erquicken . . .". Hier wird w^{e}Perf verwendet, weil die Aussage die Folgen des schon Gesagten näher entwickelt. In 3,4 steht „Und es wird sein (*wijhi, w^{e}Impf*) wenn er sich legt (Infinitiv), sollst du auf den Ort achten (w^{e}Perf), wohin er sich legt (Impf) . . .". Das w^{e}Perf hat den Charakter eines Befehls. In 4,4 kommt das w^{e}Impf in der 1. Person vor: „Willst du Löser sein (Impf), so sei Löser (Imperativ), und willst du nicht (Impf; im Text wörtlich 'will er nicht'), so sage es mir (Imperativ), damit ich Bescheid weiss (w^{e}Impf) . . .". Die Aktivität des Sprechenden wird durch das w^{e}Impf unterstrichen, etwa „ich will es wirklich wissen".

Eine iterative Bedeutung des w^{e}Perf liegt in 4,7 vor. Hier wird erwähnt, dass man ehemals in Israel den Brauch hatte, wenn man irgendeinen Handeln fest abmachen wollte, den Schuh auszuziehen und ihn dem anderen zu geben. Wenn dieser Brauch wie in 4,8 bei einer konkreten Gelegenheit beobachtet wird, steht aber waImpf.

e) Hoheslied

Das Hohelied enthält im Verhältnis zu seiner Länge wenige Beispiele für die betreffenden Verbformen. Für waImpf liegen zwei Belege in 6,9 vor: „Die Töchter sahen sie (Perf) und priesen sie glücklich (waImpf), Königinnen und Nebenfrauen, und lobten sie (waImpf)."

Die w^{e}Perf folgen als Hendiadyoin einem Perf: 2,3 „In seinem Schatten ist mir schön und ich sitze . . ."; 2,10 „Mein Freund antwortet und spricht zu mir . . ." oder stehen konsekutiv nach einem Impf: 2,17 (und 4,6) „Bis der Tag kühl wird (Impf) und die Schatten fliehen (w^{e}Perf) . . .". Hier spielt wohl auch der poetische Parallelismus hinein.

Auch das w^{e}Impf steht nach einem Impf in einer engen Verbindung als Hendiadyoin: 1,4 „Wir freuen uns und sind fröhlich über dich". Die w^eImpf drücken im Parallelismus Wünsche aus: 3,2 „Ich will mich aufmachen (Impf) und die Stadt durchstreifen (w^eImpf)"; 4,16 „Mein Geliebter komme (Impf) in seinen Garten und geniesse (w^eImpf) seine köstlichen Früchte". Vgl. auch 7,9. Das w^eImpf drückt auch die eigene Initiative nach einem Perf (6,1) und nach einem Imperativ (7,1) aus.

f) Prediger

Für waImpf liegen nur 3 Beispiele vor: 1,17 4,1 und 4,7; alle in der 1. Person. In den beiden letzten steht kurz zuvor „und ich sah" in w^ePerf. Darauf fogt w^ešabti 'ani wa'är'ä „und wiederum sah ich". Das einleitende w^ePerf kann hier möglicherweise einen vorbereitenden Charakter haben.

Das w^eImpf weist 15 Belege auf. Die Verwendung ist anscheinend dieselbe wie die des gewöhnlichen Impf. Der Kontrast gegenüber w^ePerf tritt vielleicht im sonst schwerverständlichen Wechsel der Formen in Kap. 12 hervor. In den Versen 1—4 fährt die Beschreibung in w^ePerf fort: „Ehe die bösen Tage kommen (Impf) und die Jahre sich einstellen (w^ePerf) ... ehe noch die Sonne sich verfinstert (Impf) ... und die Wolken wiederkehren (w^ePerf) ... in der Zeit, wo die Hüter des Hauses zittern (Impf) und die starken Männer sich krümmen (w^ePerf), und die Müllerinnen die Arbeit einstellen (w^ePerf), weil ihrer wenige geworden sind (Perf), und finster werden (w^ePerf) die durch die Fenster sehen, und die Türen an der Gasse geschlossen werden (w^ePerf), wenn die Stimme der Mühle leise wird (Infinitiv)" — dann geht die Beschreibung in w^eImpf weiter: „und man steht beim Vogelsingen auf (w^eImpf), und gedämpft sind (w^eImpf) alle Töchter des Gesangs, auch vor der Steigung fürchtet man sich (Impf), und Schrecknisse sind auf dem Weg, und der Mandelbaum blüht (w^eImpf), und die Heuschrecke schleppt sich dahin (w^eImpf), und die Kaperwürze versagt (w^ePerf) ...". Vielleicht will der Erzähler durch die w^eImpf die eigene Initiative (auch wenn sie versagt) stärker hervorheben.

Die meisten Belege sind w^ePerf. Die übliche konsekutive Konstruktion liegt z.B. in 5,5 vor: „Warum soll Gott über deine Stimme zürnen (Impf) und das Werk deiner Hände verderben (w^ePerf)?" Vgl. auch 5,18. Auch Beispiele für Hendiadyoin liegen vor: 2,9 „und ich wurde gross und nahm zu"; vgl. 1,16 sowie auch die Konstruktion „essen und trinken und guter Dinge sein" 2,24 und 3,13. Die iterative Verwendung des w^ePerf passt ausgezeichnet in den Stil des Predigers: „Die Sonne geht auf, und die Sonne geht unter ..." 1,5. Es liegt nahe, die vielen w^ePerf als iterativa zu verstehen in den Fällen, wo man sonst ein waImpf erwartet hätte, z.B. in den einleitenden „und ich wandte mich dazu ...". Aber diese Erklärung ist nicht immer stichhaltig. In 9,14f. wird von einer Stadt erzählt: „Und ein grosser König kam (*w*ePerf) und belagerte sie (*w*ePerf) und baute (*w*ePerf) grosse Bollwerke darum. Nun fand sich (*w*ePerf) in ihr ein armer aber weiser Mann, und er errettete (*w*ePerf) die Stadt ...“. Hier wird offenbar *w*ePerf auf einem Gebiet verwendet, wo sonst *wa*Impf üblich ist.

g) Klagelieder

Im poetischen Stil tritt das *w*ePerf als Hendiadyoin auf: 2,9 „Ihre Riegel hat er zerbrochen (Perf) und zerschlagen (*w*ePerf)“; 2,22 „... die ich gepflegt (Perf) und grossgezogen hatte (*w*ePerf)“; 3,42 „Wir waren abtrünnig (Perf) und ungehorsam (*w*ePerf)“. Ein weiteres *w*ePerf liegt in konsekutiver Bedeutung vor: 3,32 „Er betrübt wohl (Perf) und erbarmt sich wieder (*w*ePerf)“.

Das *w*eImpf tritt in Hendiadyoin auf: 3,8 „Und wenn ich gleich schreie (Impf) und rufe (*w*eImpf) ...“; 3,50 „... bis der Herr vom Himmel herabschaue (Impf) und dareinsehe (*w*eImpf)“. Ein *w*eImpf kann auch den Inhalt des vorhergehenden Impf einen Schritt weiter führen, z.B. 3,20: „Ohne Unterlass denkt (Infinitiv + Impf) und zerfliesst (*w*eImpf) meine Seele.“ Siehe auch 3,28 3,40 3,66. Es drückt ferner einen Wunsch aus, 1,21 „Du führtest den Tag herbei (Perf), den du angedroht hattest (Perf), und es möge ihnen gehen (*w*eImpf) wie mir“, oder betont überhaupt die eigene Initiative: 1,19 „... als sie sich Nahrung suchten (Perf), um ihren Hunger zu stillen (*w*eImpf)“; 2,13 „Was soll ich dir gleichstellen (Impf), um dich zu trösten (*w*eImpf) ...“; 5,21 „Führe uns, Herr, zu dir zurück (Imperativ), dass wir umkehren (*w*eImpf)“.

h) Esther

Wie schon gezeigt wurde, schliesst sich das Buch Esther in bezug auf die Frequenz der betreffenden Verbformen ziemlich eng an das chronistische Geschichtswerk an. Das *w*eImpf drückt einen Wunsch aus:

1,19: „Gefällt es dem König, so möge eine königliche Verordnung von ihm ausgehen (Impf) und unter die persischen und medischen Gesetze aufgenommen werden (*w*eImpf) ...“.

2,3: „Und der König möge Beamte bestellen (*w*eImpf) ..., welche alle jungen Mädchen zusammenbringen sollen (*w*eImpf) ...“.

5,14: „Sprich (Imperativ) mit dem König, dass man Mardochai daran aufhängen möge (*w*eImpf).“

Der Sprechende bestimmt nicht selbst, sondern kann nur einen Vorschlag machen. Die gewünschten Massnahmen verlangen die Entscheidung eines Anderen. Das *wᵉ*Impf wird auch vom König verwendet, als er verspricht, Esthers Bitte zu erfüllen: 5,3 „... bis zu der Hälfte des Königsreichs — und sie soll dir gegeben werden (*wᵉ*Impf)." Dagegen verwendet Haman in 6,9 *wᵉ*Perf: „... und man soll den Mann, den der König auszuzeichnen wünscht (Perf), damit bekleiden (*wᵉ*Perf) und ihn auf dem Pferd ... reiten lassen (*wᵉ*Perf) und vor ihm ausrufen (*wᵉ*Perf) ...". Durch die *wᵉ*Perf legt Haman seinen Vorschlag als eine zusammenhängende Ganzheit vor.

Das *wᵉ*Perf kommt auch in konsekutiver Verwendung vor, 2,14: „... ausser wenn der König Gefallen an ihr gefunden hatte (Perf) und sie berufen wurde (*wᵉ*Perf) ...". Vgl. ferner 1,20. In 8,6 ist die Bedeutung vielleicht als „präzisierend" zu bezeichnen: „Denn wie würde ich aushalten (Impf) anzusehen (*wᵉ*Perf) ...". In 9,23ff. stehen eine Reihe *wᵉ*Perf: „Und die Juden nahmen er als Brauch an ... er hatte das Los werfen lassen ... und man hatte ihn gehängt ... und die Juden nahmen es als Brauch an ...". Hier werden die vorhergehenden Umstände referiert, und die Formen entsprechen am ehesten einem Plusquamperfekt. In 9,29 geht die Handlung in *wa*Impf weiter.

i) Daniel

In Daniel liegen besondere Probleme vor. Da wir hier den aramäischen Teil (2,4b—7,28) beiseite lassen, bekommen wir es mit zwei separaten Textabschnitten zu tun. Der erste Abschnitt, 1,1—2,4a, zeigt das übliche Bild, obwohl der Text für eine solche Beurteilung eigentlich zu kurz ist. In 1,10 liegt eine konsekutive Konstruktion mit *wᵉ*Perf vor: „... er würde sehen (Impf), dass euer Aussehen nicht so gesund wäre wie das der anderen jungen Leute eures Alters, und ihr würdet mich schuldig machen (*wᵉ*Perf) ...". In 1,12f. ist aber *wᵉ*Impf angebracht: „Lass uns geben (*wᵉ*Impf) Gemüse, und wir wollen essen (*wᵉ*Impf), und Wasser, und wir wollen trinken (*wᵉ*Impf). Dann möge unser Aussehen ... von dir besichtigt werden (*wᵉ*Impf) ...".

In Kap. 8—12 ist die Lage aber anders. Hier ist *wa*Impf vorhanden (ausser in Kap. 11, wo der Inhalt sich ganz auf die Zukunft bezieht) sowie auch *wᵉ*Perf und *wᵉ*Impf, aber diese beiden letzteren folgen nicht dem Muster des klassischen Hebräisch. Vor allem ist auffallend, dass *wᵉ*Perf auch als ein erzählendes Tempus der Vergangenheit steht. In einigen Fällen lässt sich dies als Hendiadyoin erklären, z.B. 8,27 „Ich war schwach (Perf) und krank (*wᵉ*Perf)", oder als iterative Konstruktion, z.B. 8,4 „und er tat (*wᵉ*Perf) nach seinem Belieben und wurde gross

(w^ePerf)". Aber in 10,1 muss das w^ePerf *ubin* „und er merkte darauf" sich auf ein einzelnes Ereignis der Vergangenheit beziehen sowie auch „und ich sah (w^ePerf)" in 12,5. Man könnte vielleicht diese Formen als Beschreibung der dahinter stehenden Umstände auffassen (so vielleicht in 10,1) oder auf den schlechten Zustand des Textes hinweisen (dass der Text nicht ohne Probleme ist, geht aus dem Apparat hervor), aber die Tatsache bleibt bestehen, dass der letzte Teil des Danielbuches nicht mehr dem klassischen Muster folgt. Besonders problematisch ist der Wechsel zwischen w^ePerf und w^eImpf in Kap. 11. In den langen Reihen von Aussagen über die Zukunft ist es schwierig, die Wahl zwischen w^ePerf und w^eImpf zu verstehen. Die Vermutung liegt nahe, dass dies mit der Beziehung des Textes zum Aramäischen zusammenhängt, entweder dadurch, dass der Text daraus übersetzt wurde[88] oder auf Grund des allgemeinen Einflusses des Aramäischen auf das Hebräische in den letzten Jahrhunderten des Alten Testaments.

j) Zusammenfassung

In den poetischen Texten wirkt auch der Parallelismus ohne Zweifel bei der Wahl der Verbform mit. Viele Stellen lassen sich zwar als Hendiadyoin oder als eine konsekutive Weiterentwicklung des Gedankenganges im Rahmen des Parallelismus erklären, aber der Wechsel kann auch stilistisch bedingt sein[89].

Im Prediger-Buch und vor allem bei Daniel wird w^ePerf an einer Reihe von Stellen verwendet, wo man nach dem üblichen Brauch ein *wa*Impf erwartet hätte. Hier ist wohl mit dem Einfluss des Aramäischen in den späteren Zeiten des Alten Testament zu rechnen.

---

[88] Charles (1929) XLVIIff. Zu Dan 11 siehe auch S.R.Driver (1881) 247.
[89] Brongers (1978). Vgl. auch Michel (1960) 139.

III ZUSAMMENFASSENDES ERGEBNIS

Ziel der Untersuchung war es, den Unterschied im Gebrauch des w^ePerf und des w^eImpf zu bestimmen. Diese Aufgabe wirft sofort mehrere Fragen auf, die im Rahmen dieser begrenzten Untersuchung nicht behandelt werden können. Auf einige derartige Fragestellungen müsste zwar eingegangen werden, wie auf die Frage nach dem Charakter des Perf und des Impf überhaupt oder auf die Frage der sprachgeschichtlichen Entwicklung einiger Formen, vor allem des waImpf. Für eine vollständige Antwort auf alle hierhergehörigen Fragen sind aber weitere Untersuchungen erforderlich, z.B. über die Rolle der Wortfolge im Satz; über die Verbformen in Sätzen mit *'az, ṭäräm* usw; über die Verbformen in negierten oder konditionalen Sätzen oder über die wichtige Frage der Rolle des Parallelismus bei der Wahl der Verbform in poetischen Texten. Wichtige Fragen, die noch nicht ihre endgültige Antwort erhalten haben, betreffen auch die verschiedenen Betonungen des w^ePerf und den möglichen Unterschied zwischen w^e- plus Impf bzw. Jussiv oder Voluntativ. Eine Menge Arbeiten auch in diesen Bereichen liegen zwar vor, aber es war nicht möglich, im Rahmen dieser Arbeit eine solche breit angelegte syntaktische Untersuchung durchzuführen. Hier wurden vielmehr die Texte durchgearbeitet und die gesamten Belege für w^ePerf und w^eImpf untersucht, um auf diesem Weg die vorliegende Übereinstimmung im Gebrauch des w^ePerf bzw. des w^eImpf und den Unterschied im Gebrauch der beiden Formen im Kontext festzustellen. Eine wichtige Frage während des Arbeitsganges war die folgende: „Was würde hier ein w^ePerf statt eines w^eImpf (oder umgekehrt) besagen?"

Die Untersuchung is also überwiegend als synchronisch zu betrachten. Sie geht von den Prosatexten aus und findet hier im Pentateuch und im deuteronomistischen Geschichtswerk den klassischen hebräischen Sprachgebrauch, der sich im chronistischen Geschichtswerk zwar nicht verändert, aber nicht immer so deutlich hervortritt. In den prophetischen und den poetischen Büchern gelten dieselben Regeln für den Unterschied zwischen w^ePerf und w^eImpf, aber es ist deutlich, dass auch der Parallelismus bei der Wahl der Verbform einen gewissen Einfluss ausübt.

Die sprachgeschichtliche Entwicklung, die hinter dem vorliegenden Gebrauch der Verbformen in den Texten steht, ist in ihren Einzelheiten unklar. Die bestehende Sachlage erlaubt jedoch einige Schlüsse, die natürlich nur einen Versuch darstellen, den Hintergrund des alttestamentlichen Sprachgebrauches zu zeichnen.

Grundlegend ist hier der Unterschied zwischen Perf und Impf. Die verschiedenen Erklärungen, die in der Forschungsgeschichte der hebräischen Syntax dafür gegeben werden, sollten nicht nur als Alternative einander gegenübergestellt werden, sondern sind vielmehr als einander ergänzend aufzufassen. Als kurze Zusammenfassung ist die Aussage Nybergs gut geeignet: das Perf beschreibt ein Geschehen „von aussen her gesehen"; das Impf beschreibt es „von innen her gesehen".

Wenn ein w^e- unmittelbar vor ein Perf oder ein Impf tritt, verändert das nicht die Bedeutung des Perf oder des Impf. Ein w^ePerf bedeutet „und dies liegt, von aussen her gesehen, vor"; ein w^eImpf, „und dies liegt, von innen her gesehen, vor". Diese Ordnung wird aber vom Vorhandensein des waImpf im System gestört. Das waImpf als erzählendes Tempus ist schon in den ältesten Texten vorhanden und kam offensichtlich auch in älteren verwandten Sprachen vor. Am Ende der alttestamentlichen Sprachperiode verschwindet die Form und wird im späteren Hebräisch durch w^ePerf ersetzt.

Da das waImpf als Tempus der narrativen Darstellung der Vergangenheit diente, und wa- dabei als die Kopula „und" aufgefasst wurde, konnte diese Form eigentlich nur am Satzanfang, oder wo ein „und" angebracht war, verwendet werden. In narrativen Darstellungen der Vergangenheit war sonst Perf das Natürliche. Dadurch erhielten Perf und waImpf einen grossen gemeinsamen Verwendungsbereich, von dem das w^ePerf ausgeschlossen war, da das waImpf hier schon die Herrschaft besass.

Eine Untersuchung des w^ePerf zeigt, dass diese Form in einer Reihe verschiedener Verwendungen vorliegt. Die Bedeutungen des w^ePerf liegen oft ziemlich weit auseinander. In der Mehrzahl der Fälle hat w^ePerf eine finale, futurale oder konsekutive Bedeutung und entspricht dann in unserer Übersetzung meistens einer Konstruktion mit den temporalen oder modalen Hilfsverben „werden" oder „sollen". Aber in einer Reihe von Fällen hat das w^ePerf eine Bedeutung, die wir mit einem Vergangenheitstempus wiedergeben müssen. Die Bedeutung kann hier iterativ sein oder einem Plusquamperfekt entsprechen. Ein waImpf passt hier nicht, da es einen punktuellen oder momentanen Sinn ergeben würde. Das konsekutive w^ePerf kann bisweilen die Folge eher als eine Präzisierung des schon Gesagten darstellen. Es kann auch in einem Hendiadyoin auftreten. In diesen Fällen wird die Grenze zum waImpf fliessend und leicht überschritten, und diese Verwendung zusammen mit dem Druck des

Aramäischen hat wohl zu einer gewissen Unsicherheit geführt, die in den jüngeren Texten auch zum Teil merkbar ist.

Die Sachlage lässt sich folgendermassen illustrieren:

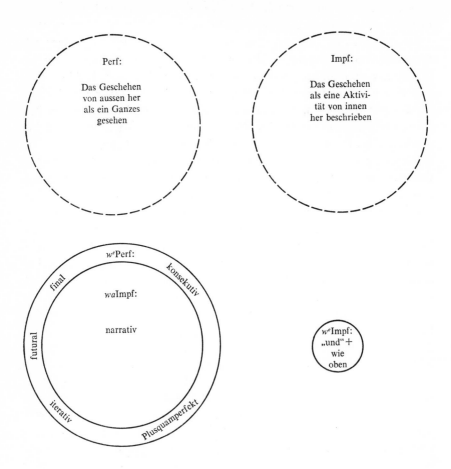

Dem Perf gegenüber stehen also sowohl *w*ePerf wie *wa*Impf zu Verfügung, wenn ein „und" dem Perf vorangehen soll. Da *wa*Impf untrennbar ist (das „Impf" des *wa*Impf ist mit dem einfachen Impf kaum identisch), muss diese Form z.B. bei einer Negation durch Perf ersetzt werden: *wajjiktob* „und er schrieb"; *w*elo' *katab* „und er schrieb nicht". Dadurch entsteht natürlich einerseits ein gewisser Gegensatz zwischen Perf und *w*ePerf, das meistens futural, final oder konsekutiv verwendet wird, und andererseits eine Annäherung von *w*ePerf und Impf aneinander. Dieses Geschehen wurde ohne Zweifel von der Entwicklung des Verbums *haja* in Richtung auf zeitgebundene Formen erleichtert.

Eine derartige Entwicklung hätte folgerichtig zum Verschwinden des

w^eImpf geführt. Dies geschah aber nicht, und als das waImpf später aus dem System wegfiel und die Tempusformen stärker zeitgebunden wurden, änderte sich die Lage.

Zwischen Impf und w^eImpf besteht kein Gegensatz. Das w^eImpf ist ganz einfach ein Impf mit vorangestelltem w^e-. Dadurch erhalten aber w^ePerf und w^eImpf (vor allem von unserem Tempusdenken aus gesehen) etwa denselben Verwendungsbereich, und die Frage erhebt sich, nach welchen Gesichtspunkten man im alttestamentlichen Hebräisch die eine oder die andere Form wählt. Da das w^eImpf genau wie das einfache Impf oft einen Wunsch, eine Intention oder eine Absicht ausdrückt, hat das w^eImpf hauptsächlich denselben Verwendungsbereich wie das w^ePerf in finaler, futuraler oder konsekutiver Bedeutung. Entscheidend für die Wahl zwischen den beiden Verbformen wird dann der Charakter des Perfekts bzw. des Imperfekts. Durch das w^ePerf wird das folgende Geschehen als ein Ganzes gesehen, das mit einem „und" unmittelbar an das Vorangehende angeknüpft wird. „Wenn A, so B" — das ganze Ereignis ist mit einem Mal schon da. Man geht nicht auf die folgende Handlung ein, um die Initiative oder Intention des handelnden Subjekts hervorzuheben, sondern das ganze Geschehen wird als ein fertiges Moment konstatiert. Der vorhergehende Wille, die schon vorhandenen Umstände sind auch für den mit einem „und" anfangenden folgenden Satz bestimmend. Dagegen wird durch ein w^eImpf die Aktivität im folgenden Satz hervorgehoben. Dieses neue Geschehen wird zwar durch ein „und" an das Vorhergehende angeknüpft und steht dadurch mit dem vorher Gesagten in einem engen Zusammenhang, aber innerhalb dieses Rahmens wird das Agieren des handelnden Subjekts hervorgehoben. Während ein Satz mit einem w^ePerf oft die Bedeutung „und er wird oder soll es tun" ergibt, entspricht daher ein w^eImpf meistens einer Übersetzung mit den Verben „dürfen", „können", „mögen" oder „wollen".

Wichtig zu beachten ist hier die Verwendung bei den verschiedenen grammatischen Personen. In der 1. Person markiert der Sprechende durch ein w^eImpf, dass er jetzt oder in einer gegebenen Lage etwas wünscht oder die Absicht hat, etwas zu tun. Verwendet er aber w^ePerf, lässt er den eigenen Willen in den Hintergrund treten. Er betont, dass das, was er jetzt oder in einer gegebenen Lage tun wird, vom Handeln eines Anderen, von der bestehenden Lage usw. abhängig ist. Er konstatiert nur, von aussen her, dass er etwas tun wird oder soll. Der Sprechende kann dadurch andeuten, dass er eine Sache unter Zwang tun muss, wie z.B. in 1.Sam 11,3 „und wir wollen Boten senden (w^eImpf) in alle Teile Israels. Und wenn uns niemand hilft, so wollen wir zu dir hinausgehen (w^ePerf)", oder er betont, dass die Verantwortung nicht bei ihm, sondern bei einem Anderen liege.

In der 2. Person kommt w^ePerf viel öfter vor als w^eImpf — 1538mal gegenüber 59. Wenn jemand in der 2. Person angeredet wird, ist es natürlich, dass seine eigene Initiative zurücktritt, und dass er in den allermeisten Fällen nur zuzuhören hat, was er tun wird oder soll. Die meisten w^eImpf in der 2. Person liegen in poetischen Parallelen vor: „Du tust das ... und du tust das."

Auf dieselbe Weise drückt der Sprechende in der 3. Person durch ein w^ePerf einen Befehl aus, oder aber er konstatiert nur schlechthin, dass der Betreffende eine Sache ausführen wird. Ein w^eImpf verleiht dem Verlauf einen stärker modalen Charakter oder drückt eher eine Hinwendung als einen Befehl aus. Wenn z.B. Samuel in 1.Sam 9,27 zu Saul sagt: „Sage dem Knecht, dass er uns vorangehe (w^eImpf)", betont er durch das w^eImpf, dass er dem Knecht eines Anderen nicht einen unmittelbaren Befehl erteilen kann. Eine zweite Initiative ist nötig, ehe der Knecht vorangehen kann.

Natürlich lassen sich in einer lebendigen Sprache, von welcher wir nur einen Ausschnitt von Texten besitzen, nicht alle Einzelheiten in einer einfachen Formel erfassen. Aber einen Unterschied zwischen w^ePerf und w^eImpf hat die Sprache ohne Zweifel gemacht. Ein Durchgang der Texte ergab als Resultat den hier beschriebenen Unterschied.

Angeführte Literatur

K.AARTUN, Zur Frage altarabischer Tempora. Oslo 1963.

E.S.ARTOM, The Accent of the Consecutive Perfect of Verbs tertiae ' and h. Lešonenu 22 (1957s) 205—208.

E.S.ARTOM, Sull'accento delle forme verbali ebraiche di perfetto con vav conversiva. Annuario di Studi Ebraichi Collegio Rabbinico Italiano, Roma 1965.

G.BERGSTRÄSSER, Ist die tiberiensische Vokalisation eine Rekonstruktion? Orientalistische Literaturzeitung 27 (1924) 582—586.

G.BERGSTRÄSSER, Einführung in die semitischen Sprachen. München 1928 (unveränderter Nachdruck Darmstadt 1977).

K.BEYER, Althebräische Syntax in Prosa und Poesie: Tradition und Glaube (Festschrift K.G.Kuhn). Göttingen (1971) 76—96.

H.BIRKELAND, Ist das hebräische Imperfectum consecutivum ein Präteritum? Acta Orientalia XIII (1935) 1—34.

H.BIRKELAND, Lærebok i hebraisk grammatikk. Oslo 1950.

F.R.BLAKE, The Hebrew Waw Conversive. Journal of Biblical Literature 63 (1944) 271—295.

F.R.BLAKE, A Resurvey of Hebrew Tenses with an Appendix: Hebrew Influence on Biblical Aramaic. Roma 1951.

J.BLAU, A Grammar of Biblical Hebrew. Porta Linguarum Orientalium, Wiesbaden 1976.

H.BOBZIN, Überlegungen zum althebräischen 'Tempus'-System. Die Welt des Orients VII, Heft 1 (1973) 141—153.

H.BOBZIN, Die „Tempora" im Hiobdialog. Diss. Marburg 1974.

C.BROCKELMANN, Die 'Tempora' des Semitischen. Zeitschrift für Phonetik und allgemeine Sprachwissenschaft 5 (1951) 133—154.

C.BROCKELMANN, Arabische Grammatik. 13. Auflage, Leipzig 1953.

H.A.BRONGERS, Alternative Interpretationen des sogenannten Waw copulativum. Zeitschrift für die alttestamentliche Wissenschaft 90 (1978) 273—277.

C.F.BURNEY, A Fresh Examination of the Current Theory of the Hebrew Tenses. The Journal of Theological Studies 20 (1918—19) 200—214.

H.CAZELLES, Les temps contvertis hébreux ont-ils une origine égyptienne? Groupe Linguistique d'Etudes Cham.-Sém, Comptes rendus, 6 (1951—54) 53—57.

R.H.CHARLES, A Critical and Exegetical Commentary on the Book of Daniel. Oxford 1929.

V.CHRISTIAN, Das Wesen der semitischen Tempora. Zeitschrift der deutschen morgenländischen Gesellschaft N.F.6 (1927) 234—258.

M.COHEN, Le système verbal sémitique et l'expression du temps. Paris 1924.

A.B.DAVIDSON, An Introductory Hebrew Grammar. 24. Auflage, Edinburgh 1954.

G.R.DRIVER, Problems of the Hebrew Verbal System. Old Testament Studies II, Edinburgh 1936.

S.R.DRIVER, A Treatise on the Use of the Tenses in Hebrew. Oxford 1881.

D.O.EDZARD, ḥamṭu, marû und freie Reduplikation beim sumerischen Verbum. Zeitschrift für Assyriologie und Vorderasiatische Archäologie 66 (1976) 45—61.

I.ENGNELL, Grammatik i gammaltestamentlig hebreiska. Aarhus 1960.

H.EWALD, Kritische Grammatik der hebräischen Sprache. Leipzig 1827.

H.EWALD, Grammatica critica linguae Arabicae. Lipsiae 1831.

T.L.FENTON, The Hebrew "Tenses" in the Light of Ugaritic. Proceedings of the fifth World Congress of Jewish Studies. Jerusalem, 3—11 August 1969, Jerusalem (1973) 31—39.

H.FLEISCH, Le verbe du sémitique commun. Les discussions a son sujet. Semitica XXV (1975) 5—18.

W.GESENIUS, Hebräische Grammatik. 12. Auflage 1839.

W.GESENIUS, Hebräische Grammatik, völlig umgearbeitet von E.Kautzsch, 28. Auflage, Leipzig 1909.

W.GROSS, Verbform und Funktion. wayyiqtol für die Gegenwart? St. Ottilien 1976.

W.GROSS, Zur Funktion von qatal. Die Verbfunktionen in neueren Veröffentlichungen. Biblische Notizen, Bamberg (1977) 25—38.

G.GUNNARSSON—J.TRYPUĆKO, Polsk grammatik. Uppsala 1946.

R.HETZRON, The Evidence for Perfect *yᵢaqtul and Jussive *yaqtᵢul in Proto-Semitic. Journal of Semitic Studies 14 (1969) 1—21.

J.H.HOFTIJZER, Verbale Vragen. Rede ... 10 mei 1974. Leiden 1974.

HOLLENBERG-BUDDE, Hebräisches Schulbuch. Herausg. von W.Baumgartner. 22. Auflage, Basel/Stuttgart 1957.

J.HUESMAN, The Infinitive Absolute and the Waw Perfect Problem. Biblica 37 (1956) 410—434.

J.A.HUGHES, Another Look at the Hebrew Tenses. Journal of Near Eastern Studies 29 (1970) 12—24.

G.JANSSENS, The Semitic Verbal Tense System. Afroasiatic Linguistics 2/4 (1975) 9—14.

E.JENNI—C.WESTERMANN, Theologisches Handwörterbuch zum Alten Testament. 2. Band, München/Zürich 1976.

P.JOÜON, Grammaire de l'hébreu biblique, Rome 1947.

P.KAHLE, Die überlieferte Aussprache des Hebräischen und die Punktation der Masoreten. Zeitschrift für die alttestamentliche Wissenschaft 39 (1921) 230—239.

P.KAHLE, The Masoretic Text of the Bible and the Pronunciation of Hebrew. The Journal of Jewish Studies 7 (1956) 133—153.

F.T.KELLY, The Imperfect with Simple Waw in Hebrew. Journal of Biblical Literature 39 (1920) 1—23.

R.KENNETT, A Short Account of the Hebrew Tenses. Cambridge 1901.

A.KROPAT, Die Syntax des Autors der Chronik verglichen mit der seiner Quellen, ein Beitrag zur historischen Syntax des Hebräischen. Zeitschrift für die alttestamentliche Wissenschaft, Beiheft 16, Giessen 1909.

J.KURYŁOWICZ, Studies in Semitic Grammar and Metrics. Prace Językoznawcze 67, Wrocław/Warszawa 1972.

J.KURYŁOWICZ, Verbal Aspect in Semitic. Orientalia 42 (1973) 114—120.

P.KUSTÁR, Aspekt im Hebräischen. Diss. Basel 1972.

D.MARCUS, The Stative and the Waw Consecutive. The Journal of the Ancient Near Eastern Society of Colombia University 2,1 (1969) 37—40.

T.METTINGER, The Hebrew Verb System, A Survey of Recent Research. Annual of the Swedish Theological Institute 9 (1973) 64—84.

R.MEYER, Das hebräische Verbalsystem im Lichte der gegenwärtigen Forschung. Vetus Testamentum Suppl. 7 (1960) 309—317.

R.MEYER, Aspekt und Tempus im althebräischen Verbalsystem. Orientalistische Literaturzeitung 59 (1964) 117—126.

R.MEYER, Hebräische Grammatik. III Satzlehre. 3. neubearbeitete Auflage. Berlin/New York 1972.

D.MICHEL, Tempora und Satzstellung in den Psalmen. Bonn 1960.

S.MOSCATI, An Introduction to the Comparative Grammar of the Semitic Languages. Phonology and Morphology by Sabato Moscati, Anton Spitaler, Edward Ullendorff, Wolfram von Soden. Porta Linguarum Orientalium N.S. 6, Wiesbaden 1964.

H.S.NYBERG, Hebreisk Grammatik. Uppsala 1952.

G.S.OGDEN, Time, and the Verb היה in O.T. Prose. Vetus Testamentum 21 (1971) 451—469.

J.PEDERSEN, Hebræisk Grammatik. København 1933.

CH.RABIN, Hebrew. In: Current Trends in Linguistics, ed. T.A.Sebeok, Vol. 6, The Hague/Paris (1970) 304—346.

O.RÖSSLER, Die Präfixkonjugation Qal der Verba Iae NÛN im Althebräischen und das Problem der sogenannten Tempora. Zeitschrift für die alttestamentliche Wissenschaft 74 (1962) 125—141.

A.RUBINSTEIN, Notes on the Use of the Tenses in the Variant Readings of the Isaiah Scroll. Vetus Testamentum 3 (1953) 92—95.

A.RUBINSTEIN, The Anomalus Perfect with waw-Conjunctive in Biblical Hebrew. Biblica 44 (1963) 62—69.

F.RUNDGREN, Intensiv und Aspektkorrelation. Studien zur äthiopischen und akkadischen Verbalstammbildung. Uppsala Universitets Årsskrift 1959: 5.

F.RUNDGREN, Der aspektuelle Charakter des altsemitischen Injunktivs. Orientalia Suecana 9 (1960) 75—101.

F.RUNDGREN, Das althebräische Verbum. Abriss der Aspektlehre. Uppsala 1961.

F.RUNDGREN, Erneuerung des Verbalaspekts im Semitischen; funktionell-diachronische Studien zur Semitischen Verblehre. Acta Universitatis Upsaliensis N.S. 1: 3 (1963) 49—108.

The SACRED Books of the Old Testament, ed. P.Haupt. 20 The Books of the Chronicles ... by R.Kittel. Leipzig 1895.

P.P.SAYDON, The Conative Imperfect in Hebrew. Vetus Testamentum 12 (1962) 124—126.

W.SCHNEIDER, Grammatik des Biblischen Hebräisch. München 1974.

G.SCHRAMM, A Reconstruction of Biblical Waw Consecutive. General Linguistics 3 (1957) 1—8.

A.O.SCHULZ, Über das Imperfekt u. Perfekt mit וְ (וַ) im Hebräischen. Diss. Königsberg. Kirchhain 1900.

H.SCHULZ, Das Todesrecht im Alten Testament. Zeitschrift für die alttestamentliche Wissenschaft, Beiheft 114, Berlin 1969.

M.H.SEGAL, A Grammar of Mishnaic Hebrew. Oxford 1927.

S.SEGERT, Aspekte des althebräischen Aspektsystems. Archiv Orientální 33 (1965) 93—104.

M.SEKINE, Das Wesen des althebräischen Verbalausdrucks. Zeitschrift für die alttestamentliche Wissenschaft 17 (1940—41) 133—141.

M.SEKINE, Erwägungen zur hebräischen Zeitauffassung. Vetus Testamentum Suppl. 9 (1963) 66—82.

J.SHEEHAN, Conversive Waw and Accentual Shift. Biblica 51 (1970) 545—548.

J.SHEEHAN, Egypto-Semitic Elucidation of the Waw Conversive. Biblica 52 (1971) 39—43.

S.H.SIEDL, Gedanken zum Tempussystem im Hebräischen und Akkadischen. Wiesbaden 1971.

M.H.SILVERMAN, Syntactic Notes on the Waw Consecutive. Orient and Occident (Festschrift C.H.Gordon). Alter Orient und Altes Testament 22 (1973) 167—175.

A.SPERBER, A Historical Grammar of Biblical Hebrew. A Presentation of Problems with Suggestions to their Solution. Leiden 1966.

D.YOUNG, The Origin of Waw Conversive. Journal of Near Eastern Studies 12 (1953) 248—252.

M.N.ZISLIN, K voprosu o dostovernosti masoretskoj fonetičeskoj sistemy (Zur Frage der Zuverlässigkeit des phonetischen Systems der Masoreten). Akademija Nauk SSSR, Institut Vostokovedenija Leningradskoe otdelenie. Istorija i filologija drevnego vostoka. XI Godičnaja naučnaja sessija LO IV AN (kratkie soobščenija). Izdatel'stvo „Nauka". Glavnaja redakcija vostočnoj literatury. Moskva (1976) 38—43.

REGISTER DER BIBELSTELLEN

106